モメる人、相続でモメない人

天野大輔
税理士法人レガシィ

発行・日刊現代／発売・講談社

はじめに

「将来の相続でモメたくない」――この願いは、財産を残す人も、受け継ぐ人にも共通ではないでしょうか。ところが、トラブルを回避するための準備をしている人は少ないのが現状です。

私は税理士法人レガシィ代表として、これまで2万5000件超の相続案件と関わってきました。その中で「相続でモメる人」と「モメない人」には、それぞれ共通点があることを発見しました。

そこで本書では、「モメる人」と「モメない人」の特徴を解析しながら、「相続でモメない方法」をわかりやすく解説したいと思います。

実際に相続でモメると、ドラマや小説などフィクションの世界で起きるようなトラブルが現実の世界でも起こります。その結果、財産だけでなく、家族関係にも深刻なダメージを及ぼすのです。

相続は場所や時代で大きく異なるものではありません。日本だけでなく世界でも、また現代だけでなく太古の時代から相続をめぐって家族が分裂するトラブルが起きています。地位や財産額はそれほど関係ありません。人間である限りは、どんな人にも相続トラブルがつきまとうのです。

もめごとが起きる原因を一言で表すなら、〝コミュニケーション不足〟といえます。たとえば、きょうだいであれば、小さいときから一緒に育っていますから、「いまさら意識してコミュニケーションをする必要などないだろう」と思ってしまいがちです。

しかし、相続が発生するころには、互いに年齢を重ね疎遠になっていることもあるでしょうし、それぞれに事情を抱えています。ちょっとした行き違いがもめごとに発展してしまうのです。

詳しくは本編で紹介しますが、コミュニケーションを改善するもっともよい方法は贈り物です。昔からさまざまな地域に贈り物をする風習がありました。それは、生命の存続に不可欠だったからではないでしょうか。

とくに太古では「モメること＝生命が危機にさらされること」になります。しっかり贈り物をして関係性を築いておくことが安全につながったのです。

現代のように高度な社会になってくると、贈り物をしなくても生命を脅かされるようなことはあまりありません。しかし、あえて贈り物をすることでコミュニケーションがうまくいくことも多いように思います。

コミュニケーションがしっかりとれていると、もめごとが起こりそうになってもストップがかかります。「いつも贈り物をしてもらっていたな」という気持ちが頭をよぎり、ぐっとこらえて、譲ることができます。この「譲る気持ち」こそ、円満の秘訣です。自分の意思を強く出しすぎると、悲劇が起きやすくなります。「譲るが勝ち」なのです。

20代、30代から贈り物を習慣化し、譲る意識を持っておくと、50代以上になって相続を迎え、遺産分割協議をするときに生きてきます。

このような相続や贈与についての制度は、現代の日本社会では民法や税法といった法律によって規定されています。しかし昨今の社会は変化が激しいため、毎年のように改正されます。２０２３年度も相続をめぐる制度が大きく変更されました。その一つが「相続と贈与の一体化」です。これは過去に贈与した財産も相続財産に含めて税金を払うという考え方です。

すでにこの考え方に近い相続時精算課税と呼ばれる制度もありますが、あくまで選択肢として用意されているに過ぎず、主流ではありませんでした。

主流だったのは暦年課税制度と呼ばれる、相続と贈与があまり一体化されていない枠組みでした。なぜなら年間110万円までの贈与は非課税といった大きなメリットが多くあったからです。従って、相続税において超過累進税率を採用する日本では、富裕層ほど毎年少しずつ贈与することで節税できる仕組みになっていました。それでは公平性に欠けると政府が考え、財産を渡すタイミングが贈与時でも相続時でも、合算すれば同程度の税金を支払う形になっていくような改正をしました。

具体的には、現在では相続発生前3年以内に行われた贈与は相続財産に含めて税金を計算することになっていますが、2027年以降は段階的にその期間を7年までさかのぼることが「2023年度の税制改正大綱」で示されました。また相続時精算課税でも非課税枠（基礎控除額）がつくられ、暦年課税との違いがなくなりつつあります。これまで相続税を気にして、贈与してきた人は対策を見直す必要がある時代になってきました。

その他の節税規制も強まりそうです。たとえば、２０２２年4月の最高裁の判決で相続税の過度な節税対策に警鐘が鳴らされました。

このケースでは、マンションを相続した遺族がルールに基づいて評価をして相続税を0円と申告したにもかかわらず、税務署は3億円を超える追徴課税をしました。遺族（原告）は税務署の処分取り消しを求めていましたが、最高裁は原告の上告を棄却する判決を言い渡したのです。

ポイントはいくつかありますが、亡くなる直前に多額の借入額で不動産を購入し、亡くなった直後にその一部を売却したことが特に重要です。相続人は、その不動産をルール（財産評価基本通達）で定められている評価に基づいて計算し、「相続税はゼロ」と認識して申告したのですが、これが過度な節税として捉えられ、追徴課税になったのです。

今後も形式的にはルールに基づいていたとしても行き過ぎた節税は厳しく取り締まりが行われるでしょう。ただ、ルールに則っている以上どこまでがセーフでどこからがアウトなのかが判断が難しい面もあります。これまでの事例を積み重ねてケースバイケースで考えなければいけません。なお、私たち税理士法人レガシィでは、点数形式で判定表を作って一般公開し、規制の対象となるかどうかを「見える化」して、相続人の方が過度な不安を抱かないようにしています。

このように税制改正や規制が目まぐるしく行われていく時代において、相続はどのように変化していくのでしょうか。もちろんそのような中でも適切な節税を目指していくことは誤りではなく、私たち税理士に求められていることでもあります。

しかし相続は家族というかけがえのない人間関係の中で行うセンシティブなものです。税金やお金といった「勘定」以上に家族間でモメないための気遣いや配慮といった「感情」が大事になると私は思います（そもそもモメてしまうと税金としても不利になることが多いです）。

私は大学・大学院時代の6年間文学を専攻・研究していたため、YouTubeチャンネル「相続と文学」を運営し、相続を描いた古今東西の文学作品を取り上げて現代に役立つ相続の知恵をお届けしています。そこではいままでシェイクスピアの「リア王」、横溝正史の「犬神家の一族」、ドストエフスキーの「カラマーゾフの兄弟」、小津安二郎の「東京物語」などを取り上げてきました。改めて読んで解説を行ってみて痛感したのは、モメないために必要な「感情」への配慮が「勘定」以上に大事であることでした。

本書は、20代から60代まで世代別に具体的なシチュエーションに応じて、どんな人だとモメるのか、あるいはモメないのかを整理しました。読者の皆様ご自身の世代のページだけでなく、ご両親やお子様の世代のページもお読みいただければと思います。というのは、相手の立場で考えることができるとさらにモメにくくなるからです。ぜひ本書を通じて将来の相続の心がまえを行い、「そのとき」が来てもスムーズに相続を迎え、かけがえのない大切な家族という財産を「相続」していただければと切に願っています。

第2章 40代・50代編 ― 75

第3章 60代以上編

第1章

20代・30代編

自立、就職、結婚……
人生の節目でどう行動するかで、
のちの相続が大きく変わる?

モメない人はどっち？

留学したとき

留学したときの体験談をしっかりと話す

留学したときの体験談をあまり言わない

留学する人は9年で3倍以上に

近年海外へ留学する人が増えています。文部科学省のデータによると、2009年度に留学した人は約3万6000人でしたが、2018年度には約11万5000人と3倍以上に増加しています。2019年度以降はコロナ禍の影響を受けて、留学する人は減っていますが、コロナ禍が収まれば再び増加傾向に戻るでしょう。

留学した人は海外でさまざまな刺激を受けて帰ってきます。その体験を誰かに話したくなる気持ちはわかります。相手が友人や職場の同僚であれば問題ないのですが、きょうだいには注意が必要です。

まずは相手の立場で考えてみましょう。留学したことがない人からすれば、留学した人に対して、どうしても〝うらやましい〟との気持ちを抱いてしまいます。海外に興味がなくても、留学した人はステータスが上がったように感じます。

留学した人は、海外での出来事をつい自慢げに話してしまいがちですが、留学

日本人の留学生数の推移

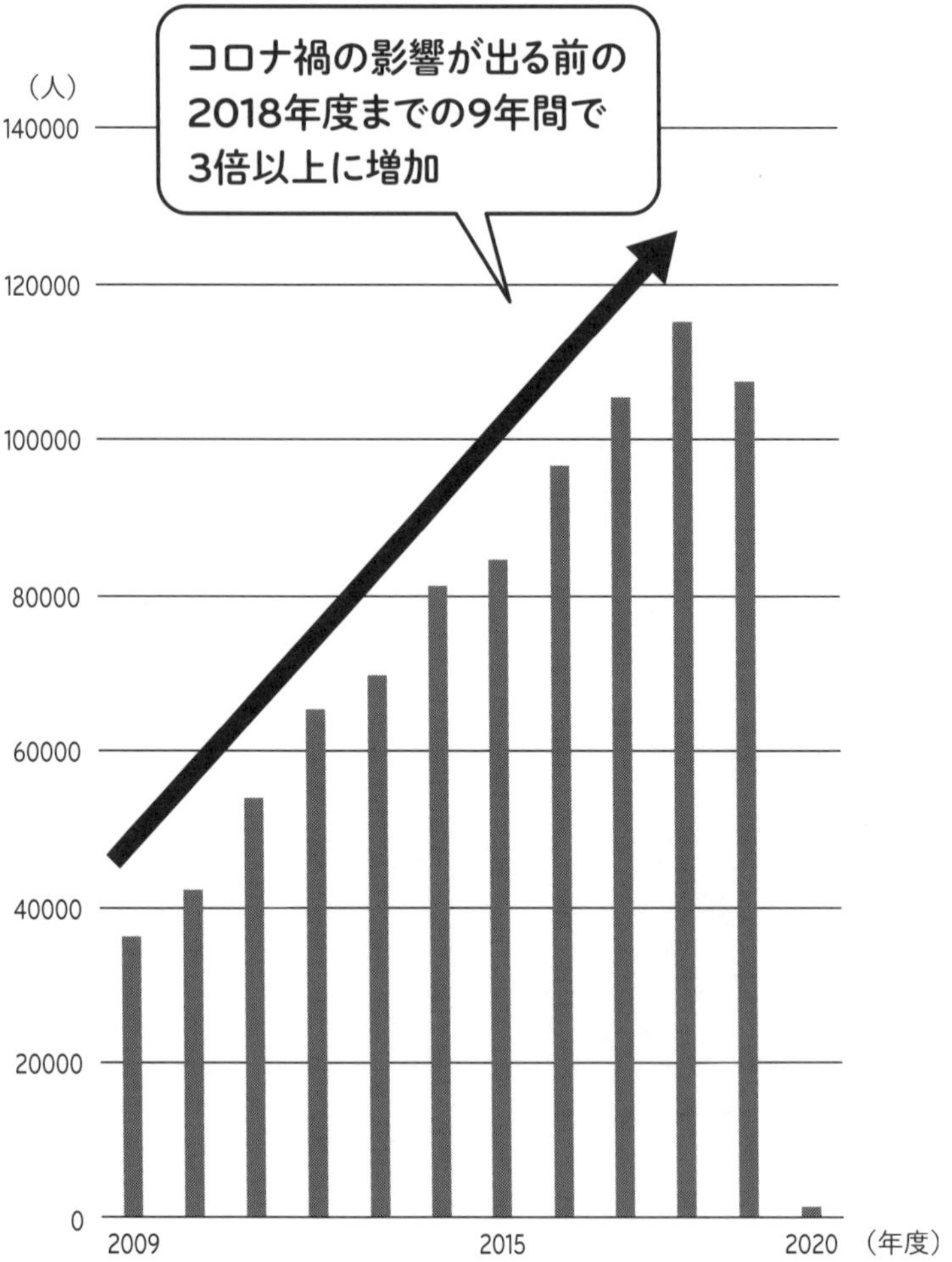

出典：文部科学省「外国人留学生在籍状況調査」及び「日本人の海外留学者数」等について

していない人からすれば良い気持ちがしません。その気持ちを察して、きょうだいには留学の体験談などは不必要にしないのが無難です。配慮する姿勢が必要なのです。まったく話をしてはいけないとは思いませんが、そこそこに抑えておくべきではないでしょうか。

海外の文化も影響しています。海外は日本と比較して、ドライな面があります。留学をきっかけに海外の文化に染まってしまう人も少なくありません。それが悪いことだとは思いませんが、日本独特の礼儀や慣習を忘れてしまうと、本人は悪気なく話したことでも、留学をしていない人にとっては、嫌味に聞こえてしまうかもしれないことを意識したいところです。

日本人の奥ゆかしさが相続の世界ではプラスに働く

ビジネスの世界で日本人の奥ゆかしさは、マイナス面として捉えられがちです。しかし、相続ではかえって良いことも多いです。相手を立てるのは、日本の伝統的社会で育ったからこそできる配慮ともいえます。それを存分に発揮するとモメ

留学した子どもがいる場合の親の配慮

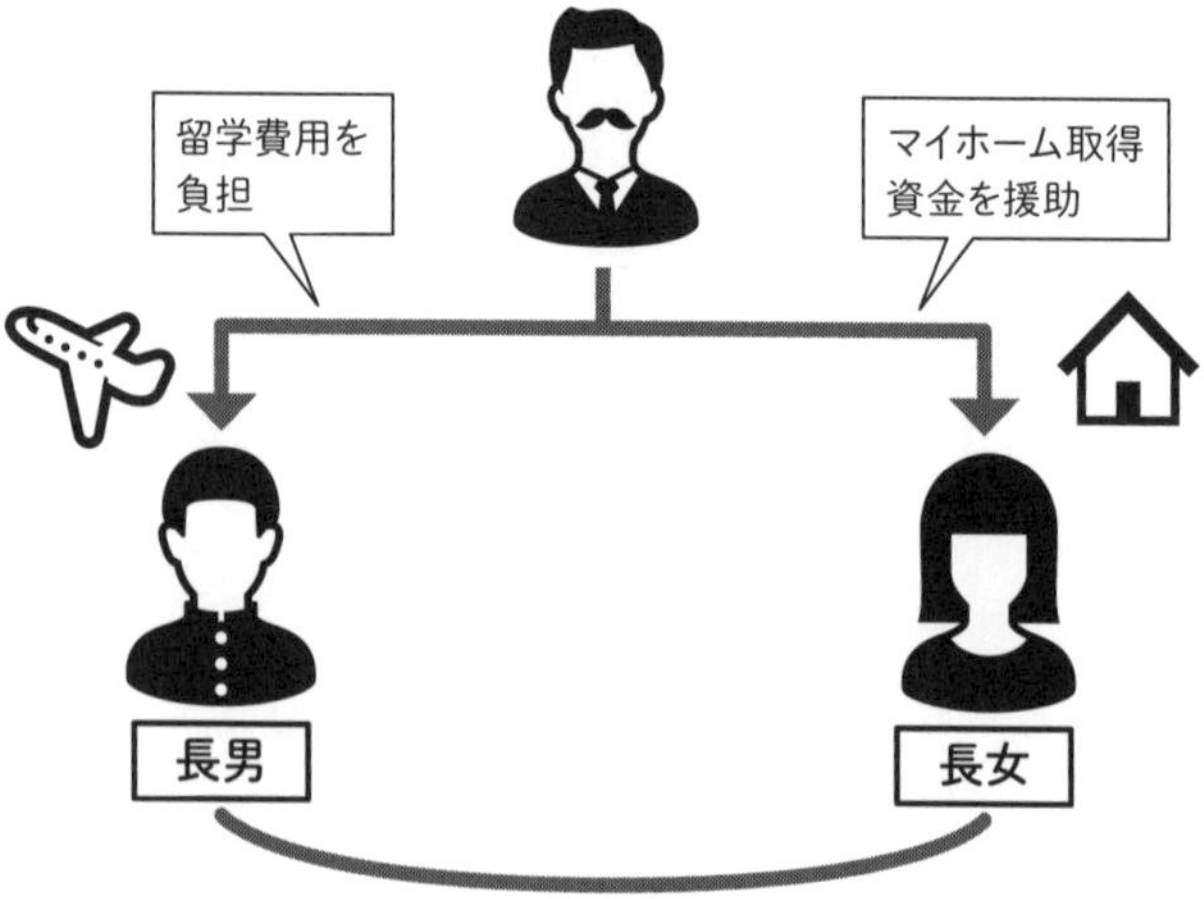
きょうだい間のバランスをとることが大事

にくくなると思います。

家族ではない人の話であれば〝素敵だな〟と思うことでも、きょうだいというフィルターがかかると素直に受け取れなくなってしまいます。

もしあなたが親の立場であれば、親としての配慮も必要です。たとえば、長男だけが留学したのであれば、他のきょうだいには、それに代わるものを考えたほうが良いかもしれません。子どもたちは皆「きょうだいは平等」と考えています。これは自然な感覚です。

たとえば、長女には留学の費用がかかっていないから、マイホームを購入するときに多めに援助するよ」など、具体的な配慮があれば、納得しやすいものです。

なお、民法では「特別受益」という考え方があり、ある相続人に対して婚姻、養子縁組、生計の資本として財産が贈与された場合、他の相続人との不公平をなくすために、遺産分割時にその特別受益分を足して分けることができます。しかしあくまで法律上のルールであり、きょうだい間で良好な関係であれば適用しないことも多いです。

つまり、日ごろからあまり留学の話題をしないことは、心の「感情」だけでなく相続時における財産の「勘定」にとってもよいことと言えます。


モメない人はこっち！

留学したときの体験談をあまり言わない

モメない人はどっち？

自立するとき

これからは
親に甘えるのは控えよう

親に連絡は
こまめにしておこう

きょうだいの独立は、残された人に重圧を与える

親元から離れて独立する際に「これからは親に頼らず、ひとりでしっかり生きていくんだ」と決心するのは立派なことです。ただ、実家を離れた後に親やきょうだいに対して気遣いができるかどうかで、将来の相続が大きく左右されます。

実際にひとり暮らしを始めてみると、何かと忙しくて、親に電話さえしなくなってしまうケースが多いものです。しかし、親にしてみれば子どもが自立して離れていくのは寂しいものです。ときには連絡して親の体調を尋ねれば、それだけでもコミュニケーションが途切れることがありません。

ゆくゆくは同居しようと考えているのであれば、「将来は一緒に住みたいと思っている」と、自分の考えていることを伝えておくのもいいでしょう。

それまで一緒に暮らしていた親に真面目な話をするのは、照れ臭い面もあるでしょう。しかし、気遣いをしてくれる子どもは、親にしてもかわいいものです。きょうだいにしても同じです。たとえば、兄が独立して弟が実家に残った場合、同居する家族がひとり少なくなってしまったという寂しさがあります。

また、家のことがすべて自分の肩にかかってくるという重圧も感じるでしょう。年末になれば「大掃除を自分ひとりでしなければならない」と考えるだけでも気が重くなります。

両親が病気になれば、面倒を見なければなりません。家に残ったきょうだいには、さまざまな負担がかかります。独立した人は、両親に対する気遣いだけでなく、きょうだいの気持ちを理解することと配慮が必要になります。

よって、独立する際に「これからは親に甘えるのは控えよう」と考え、親にもきょうだいにも連絡をしないのは、コミュニケーションが不足し、相続の際にモメる可能性が高くなります。「親に連絡はこまめにしておこう」と考えるのが正解です。

就職後の資金援助は贈与になるか

ところで、独立後に親から資金援助を受けた場合は、贈与となるのでしょうか。

国税庁のタックスアンサーには、「贈与税がかからない場合」として、12のケース（26ページ参照）が示されています。

就職して収入を得ていたとしても、その金額が十分ではなく、親から仕送りをしてもらっている場合には、2に該当し贈与税はかからないと考えられます。しかし、家賃援助をしてもらっている場合には、生活費や教育費に該当せず、状況によっては贈与とみなされる可能性があります。

さらに、今後は相続・贈与一体化の方向にありますので、現在、贈与税がかからないとされているケースであっても、相続の際に相続税の対象となる可能性があります。

年間110万円の贈与税の非課税枠はどうなるか

現行の制度では、年間110万円までの贈与は申告の必要がありません。税金もかかりません。この非課税枠は、今後も継続されますが、2023年度の税制改正によって、制度の見直しがありました。

これまでは、相続開始前「3年間」に贈与されたものは、相続財産に加算して相続税を計算していました。この期間が「7年間」までさかのぼることになりま

贈与税がかからない財産

1	法人からの贈与により取得した財産
2	夫婦や親子、兄弟姉妹などの扶養義務者から生活費や教育費に充てるために取得した財産で、通常必要と認められるもの
3	宗教、慈善、学術その他公益を目的とする事業を行う一定の者が取得した財産で、その公益を目的とする事業に使われることが確実なもの
4	奨学金の支給を目的とする特定公益信託や財務大臣の指定した特定公益信託から交付される金品で一定の要件に当てはまるもの
5	地方公共団体の条例によって、精神や身体に障害のある人またはその人を扶養する人が心身障害者共済制度に基づいて支給される給付金を受ける権利
6	公職選挙法の適用を受ける選挙における公職の候補者が選挙運動に関し取得した金品その他の財産上の利益で、公職選挙法の規定による報告がなされたもの
7	特定障害者扶養信託契約に基づく信託受益権
8	個人から受ける香典、花輪代、年末年始の贈答、祝物または見舞いなどのための金品で、社会通念上相当と認められるもの
9	直系尊属から贈与を受けた住宅取得等資金のうち一定の要件を満たすものとして、贈与税の課税価格に算入されなかったもの
10	直系尊属から一括贈与を受けた教育資金のうち一定の要件を満たすものとして、贈与税の課税価格に算入されなかったもの
11	直系尊属から一括贈与を受けた結婚・子育て資金のうち一定の要件を満たすものとして、贈与税の課税価格に算入されなかったもの
12	相続や遺贈により財産を取得した人が、相続があった年に被相続人から贈与により取得した財産

出典：国税庁「タックスアンサー」

した（なお、経過措置があり、相続開始日が２０２６年までは3年のまま、２０３０年までは3年超から7年未満です）。贈与の際は非課税であっても、相続の際に改めて相続財産に含めて、課税対象となるのです。

その際に、家賃援助を受けていた資金が「仕送り」として認められるのか、定期的な贈与とみなされるかは、状況や金額などを考慮してケースバイケースで判断されるでしょう。

こうした贈与は「言わなければバレないだろう」と考えて黙っているケースも少なくありません。しかし、相続の際には税務署も徹底的に調査をします。銀行の取引記録は過去10年分残っていますので、ごまかすことはできません。

名義預金には贈与税の時効も適用されない

贈与税の時効（厳密には「除斥期間」）は原則6年、悪質な場合（脱税目的で贈与を隠した場合など）は7年とされていますので、それを過ぎていれば課税されませんが、贈与自体がなかったものと判断されれば、相続の際に課税されることになり

贈与の改正点

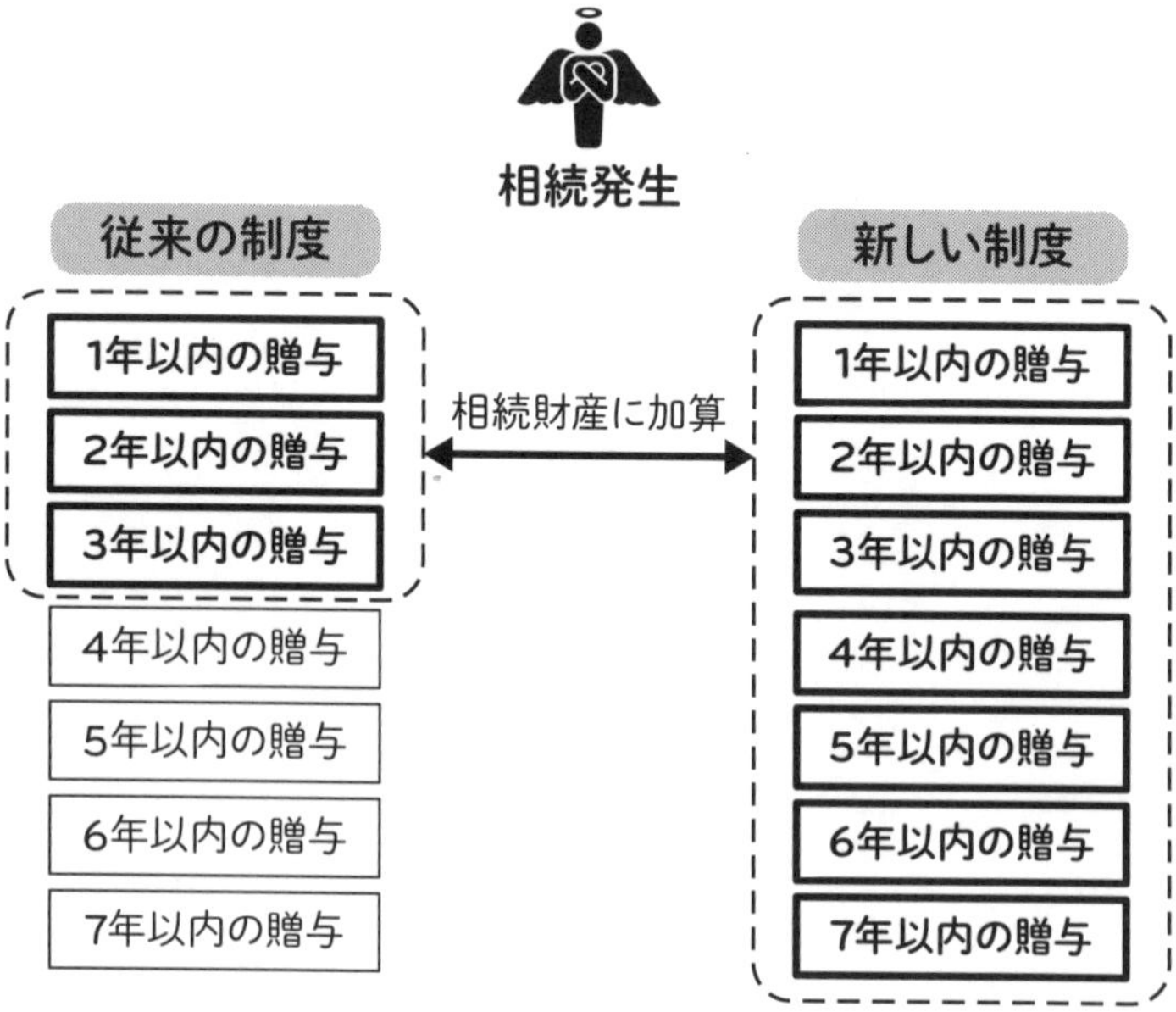

ます。代表的なケースが名義預金です。

　名義預金となるのは、親が子ども名義の口座に勝手に預金していた場合などです。贈与は、財産を渡す側（親）の意思表示と受け取る側（子）の受諾によって成立します。子どもが知らないところで、親が勝手に預金したのであれば、口座が子ども名義であっても親の財産とみなされます。

　そもそも「贈与はなかった」ことになれば、時効も関係ありません。名義預金は親の財産として相続時に課税されます。

もう一つ、贈与で問題になりやすいのが、親の土地に子どもが家を建てたり、親の家に子どもが住んでいる場合、土地代や住居費が贈与になるかです。これは使用貸借と呼ばれ、贈与にはなりません。

ただ、相続が発生したときには、親の土地や建物には１００％の相続税がかかってきます。もし、子どもが親に土地代や家賃を支払っていた場合には、借地権などの扱いになり、相続税評価額は下がる可能性があります。

モメない人はこっち！

親に連絡はこまめにしておこう

モメない人はどっち?

就職して相続関連の仕事をするとき

自分の仕事である相続について話してあげる

必要以上に話さない

相続では家族一人ひとりがライバルに

相続では、相続人である家族一人ひとりが互いにライバルとなります。その中にひとりだけプロがいると、プロにとって有利に働くのではないかと考えてしまいます。

相続に関わる専門家として誰でも思いつくのは弁護士と税理士です。一般的に弁護士はもめごとを仲裁する、税理士は税金のアドバイスや申告をする役割として認識されているのではないでしょうか。

その意味で、より警戒されるのは弁護士です。相続人のひとりが弁護士であれば、「その人に丸め込まれてしまうのではないか」との心配があるからです。

一方で税理士は、税金が専門ですから、弁護士に比べて警戒心は緩和されますが、それでも専門家としてのアドバンテージがあります。あなたが弁護士や税理士として仕事をすることになったのであれば、できるだけコミュニケーションをとってきょうだいに配慮することが重要です。

専門家として知識を持っていても、相続に関しては必要以上に話をせず、質問されたときに答える程度にして、日常的なコミュニケーションを深めることに気を配るといいでしょう。

相続人の配偶者が専門家の場合もモメやすくなる

また、相続人の配偶者が弁護士などの専門家の場合にも、モメる可能性は高くなります。

そもそも遺産分割協議に相続人の配偶者が参加することは、もめごとのタネになりやすい傾向にありますが、その人が弁護士であればなおさらです。相続人の配偶者が専門家である場合は、できるだけ遺産分割の話し合いに参加しないほうがいいでしょう。

他の相続人から「専門家なのだから知恵を貸して欲しい」と同席を求められたとしても、多くを話さないのが無難です。親切心で詳しく説明してしまうとかえって「鼻持ちならない」との烙印を押されかねません。

他の相続人が警戒していることを前提にし、相手の話をしっかり聞くことが大事です。

「うちはきょうだい仲がいいから大丈夫だろう」と考える人もいますが、油断は禁物です。

友達のような感覚で何でも話せる環境で育ったとしても、大人になるにしたがって関係性は変わります。互いに抱えている状況が異なるからです。子どものころと同じ感覚で話してしまうと、警戒されてしまう可能性があるのです。

相続に関する仕事の話をしなければならない状況になったときには、相手の仕事の話も聞いてあげるといいでしょう。自分の話をする代わりに、相手の話に耳を傾ける姿勢を示せば相手も違和感を覚えないはずです。

モメない人はこっち！

必要以上に話さない

モメない人はどっち？

初任給などである程度多額のお金を得たとき

贈り物を多くできる

贈り物をするときに照れくさくて後回しにする

初任給をもらったら両親にプレゼントをする

将来の相続でもめごとを避けるためには、常に「GIVE（ギブ）」の精神を忘れないことです。よって、もめごとになりにくいのは「贈り物を多くできる」人です。就職して初任給を受け取ったとき、投資で大きな利益を得たときなど、タイミングを見つけて、両親やきょうだいに贈り物をするといいでしょう。

きっかけがないと、贈り物をしにくい面がありますが、初任給を受け取ったときなどは両親にこれまで育ててくれた感謝を示すのによい機会ですし、投資で利益が出たときなどであれば、「運よく儲かったからおごらせてよ」ときょうだいにごちそうしてもいいでしょう。

ところで、相続でモメやすいのは二次相続です。たとえば、父親が亡くなり一次相続が発生したときには母親が相続人になっていますから、子どもたちをある程度、抑えることができます。しかし、母親が亡くなり二次相続のときには、相続人はきょうだいだけですから、遠慮なく主張してしまいがちです。

「兄弟」より「姉妹」のほうが感情でモメやすい

では、「兄弟」と「姉妹」では、どちらがモメやすいでしょうか。私たち税理士法人レガシィでは「相続のせんせい」というウェブサイトで「相続モメ度診断」というチェックツールを提供していますが、その判定結果を算出するための統計にあたり法人内で日ごろから相続の現場でお手伝いしている税理士らにアンケートをとりました。すると、女性の「姉妹」はモメやすいという結果が出ました。相続のもめごとは「勘定」よりも「感情」で起きることが多いのですが、「姉妹」のほうが感情論でモメやすい傾向にあるのです。

日ごろ、「姉妹」の関係はむしろ悪くないように見えます。遺産分割協議の際も、私たち税理士の目には仲のよい「姉妹」に映るのです。ところが、実は内面ではそこまで仲がよくはなかったり、仲がよかったとしてもふとしたことをきっかけに、感情が爆発してしまうことがあります。

代表的なのは形見分けで、1本の帯留めを奪い合って収拾がつかなくなってしまったこともあります。おそらく「姉妹」の場合、配偶者（夫）によって生活水準や生活環境が異なることも多く、不公平感を抱きやすくなるためだと思われます。

　一方で男性の「兄弟」は、見た目と実際の関係性にそう違いがないことが多いように思います。遺産分割協議の際にほとんど会話をしない「兄弟」であれば、相続の手続きも波乱なく終わる可能性が高くなります。反対に最初からけんかしている「兄弟」は、最後までけんかをしています。

　また「兄弟」の場合は、遺産分割協議で感情的になったとしても、配分が決まってしまえば、関係性が元に戻ることが少なくありません。やっかいなのは「兄弟」よりも「姉妹」の感情であることが多いのです。

　フィクションの世界でも、シェイクスピアの「リア王」や横溝正史の「犬神家の一族」など相続をめぐる悲劇で描かれているのは三姉妹です。これは偶然ではないのかもしれません。

1 モメない人はこっち！
贈り物を多くできる

モメない人はどっち？

結婚するとき

相手のことをより知ってもらうために何でも話す

ある程度、理性を働かせて慎重に話す

両親は相手のことをよく知りたいと思っている

20代、30代では、結婚が決まって相手を家族に紹介するケースが多くなると思います。その際に、結婚相手のことをよく知ってもらうために何でも話す、ある程度、理性を働かせて慎重に話すのどちらがいいでしょうか。

たとえば、長男が結婚相手の女性を紹介する場合、家族からしてみれば、半ば「他人が家に入ってくる」とのイメージを抱きがちです。とくに親は緊張感を伴いますから、相手のことをしっかり知りたいと思うのが本音です。

ところが親にしてみれば、「うるさく言うと嫌われるのではないか」との気持ちもありますから、あれこれ聞いてくることはありません。「聞きたいけど聞けない」という気持ちなのです。

その気持ちを察して、相手の人柄を積極的に話して親の心配を払拭することが大事です。プラスになることは些細なことでも話すようにしましょう。

ただ、第一印象は大事です。最初に少しでも悪い印象を与えてしまうと、何に対しても疑心暗鬼になられてしまいます。「あの夫婦って何か嫌だね」とか「結婚して変わったね」などと言われかねません。難しい問題ではありますが、「微妙な話題はマイナスに受け取られることもあるので、ある程度、理性をしっかり働かせて慎重に話すのがいいでしょう。

仮に親子間では話せない内容でも、仲の良いきょうだいであれば、話題にできることもあります。その時は少し面倒だと感じても、ちょっとした手間をかけて話しておくと、のちのちにモメるリスクを回避できるでしょう。

結婚式はしなくても家族で食事会をすると◎

かつては当たり前だった結婚式をしないカップルも増えてきました。最近は「多様性の時代」と言われ、さまざまな考え方が認められるようになってきたので「結婚式を挙げなければダメだ」と言う人も減ったように思います。もちろん、結婚式をするか、しないかは最終的には本人たちの判断であり、自由です。

仮に結婚式はしないと判断した場合でも、家族で食事会をするのはいいことだと思います。そのときに感謝を伝えるとよい関係が構築できます。結婚式や食事会は本人たちや友人だけのものではなく、両親に感謝を伝える機会でもあります。何もなければ両親にしても寂しい気持ちが残ってしまうことも考えられます。

結婚式にしても食事会にしても、自分たちで判断するしかないのですが、将来のリスク要因が少しでも減り、面倒を避けられると考えれば、大事なイベントの一つと言えます。

こうしたイベントを大事にし、コミュニケーションをとる機会が増えてくると、将来の贈与や相続においても話しやすい環境が自然とつくられていきます。実の両親や義理の両親とモメない関係をつくることも大事です。

モメない人はこっち！

ある程度、理性を働かせて慎重に話す

モメない人はどっち?

マイホームの購入資金を親から贈与されたとき

親から贈与されたことを他のきょうだいにも誠実に話す

他のきょうだいにはなるべく話さない

マイホーム取得資金の贈与は一定金額まで非課税

マイホームを購入する際に、親から贈与を受けるケースは少なくありません。子どもが家を買うのだから「少しでも資金援助したい」との親心もありますし、住宅資金であれば一定金額まで非課税で贈与できるという制度も後押ししているでしょう。

ここで、マイホーム取得資金の贈与に関する制度について簡単におさらいしておきましょう。

祖父母や父母など直系尊属から住宅取得等資金の贈与を受けた場合には、一定金額までは贈与税が非課税になる制度があります。

非課税になる金額は45ページの図表のように、取得する住宅が省エネ等住宅であるかどうかによって変わります。省エネ等住宅は1000万円まで、省エネ等住宅以外は500万円までが非課税になります。

過去には最大3000万円まで非課税になっていた時期もありますから、節税効果が高い制度として知られています。

金額が大きいだけにきょうだい間で贈与を受けた人と受けていない人がいる場合には、大きな格差になります。そのため、贈与してもらった人は、贈与してもらっていない人への配慮が必要です。

贈与を受けたことをきょうだいに積極的には話さない

たとえば、あなたがきょうだいの中で、最初にマイホームを購入することになり、親から取得資金の贈与を受けた場合、他のきょうだいに積極的に話をしなくてもよいでしょう。贈与を受けたこと自体は何となく伝わってしまうかもしれませんが、「親に○○○万円援助してもらったんだ」と、あえて金額を伝える必要はありません。

親の立場からすれば、公平さを保つために、将来、他のきょうだいがマイホームを購入するときにも贈与をしたいと考えているかもしれません。

しかし、そのときに同じ金額を渡せるかどうかわかりません。贈与するという事実では公平にできても、金額で格差がついてしまう可能性があるのです。それを想定して、あえて贈与金額の話をしないほうがよいのです。

住宅取得等資金の贈与を受けた場合の非課税

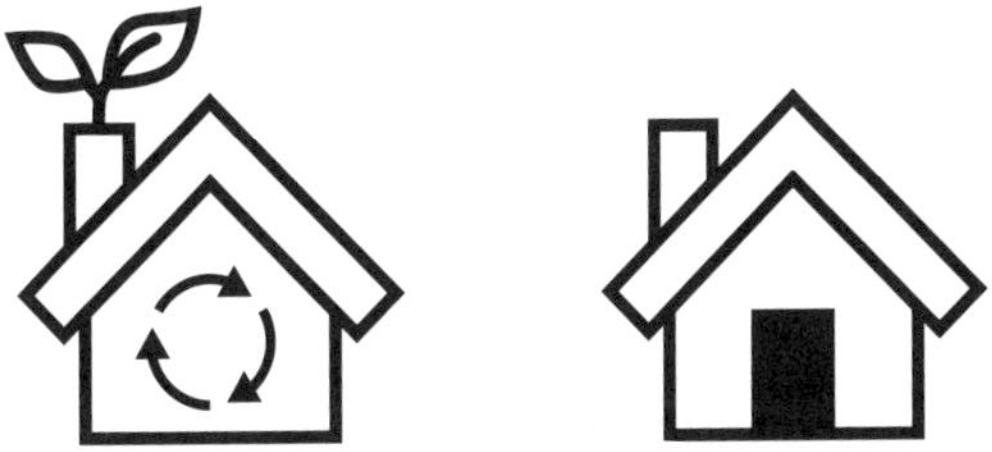

省エネ等住宅	省エネ等住宅以外
1000万円まで	500万円まで

省エネ等住宅とは……
①〜③の省エネ等基準のいずれかに該当する住宅

①断熱等性能等級4以上または一次エネルギー消費量等級4以上であること
②耐震等級（構造躯体の倒壊等防止）2以上または免震建築物であること
③高齢者等配慮対策等級（専用部分）3以上であること

金額を伝えないことで、「兄貴はいくらもらったんだ？」と疑心暗鬼になる可能性はあります。ただ、話すことで逆にトラブルが大きくなる可能性もありますから、どちらがマシか、との比較の問題にはなりますが、〝金額〟は話さない方が無難なのです。

親自身もきょうだい間で贈与金額まで共有してしまうのは、トラブルになることをよく知っています。私どもでは贈与税の申告のお手伝いをすることも多いですが、その際に「娘に贈与するけど息子には共有しないで欲しい」などとお願いされることも多々あります。

ちなみに住宅取得等資金の贈与の非課税制度を利用するには、贈与を受けた年の翌年2月1日から3月15日までの間に、非課税の特例の適用を受ける旨を記載した贈与税の申告書に戸籍の謄本、新築や取得の契約書の写しなど一定の書類を添付して、納税地の税務署に提出する必要があります。

住宅資金の贈与は相続の際に財産には加算されない

住宅取得等資金の贈与の非課税制度を利用した場合には、将来、相続が発生したときに、さかのぼって課税されることはありません。ただ、民法上は特別受益に該当する可能性があります。

特別受益とは、一部の相続人が亡くなった人（被相続人）から生前に贈与を受けたり、遺贈、死因贈与で受け取った利益のことです。他の相続人が主張すれば、住宅資金として贈与を受けた分を相続財産に含めて、遺産分割をする可能性が高くなります。住宅資金の贈与を受けた人は、その分、相続の際に受け取る財産が減るのです。

きょうだい間のことですので、他のきょうだいが異議を唱えなければ問題にはなりません。日ごろから、コミュニケーションをとっておくことで、そのリスクを減らすことができるでしょう。

モメない人はこっち！

他のきょうだいにはなるべく話さない

モメない人はどっち？

きょうだいに子どもが生まれたとき

出産祝いは相場の金額と同じ1万円

出産祝いは相場の金額より多い5万円

きょうだいのイベントはコミュニケーションを深めるチャンス

きょうだいに子どもが生まれたときに、お祝いを渡すことがあると思いますが、どのくらいの金額を渡すのがいいのか悩ましいものです。

実際には、インターネットで相場を調べて渡す人が多いでしょうが、「5000円〜1万円が相場」としているサイトもあれば、「贈る側が既婚なら3万円が相場」としているサイトもあります。

「相続の際にモメにくい」との観点で答えを先に紹介すると、「5万円」が正解です。受け取った人の考え方にもよりますが、相場よりも多めの金額を受け取ることによって「本当に祝ってくれているんだな」との気持ちが伝わりやすくなります。

逆に金額が少ないと「義理で祝っているだけだな」と感じてしまうのです。

きょうだいと疎遠になっていたり、不仲になっている場合には、出産祝いが関係を修復するチャンスでもあります。何のイベントもないときに贈り物をするのは抵抗がある人でも、出産祝いは渡しやすいので、コミュニケーションが生まれるきっかけになります。

ただし、きょうだいの中に子どもがいない家庭がある場合には、配慮が必要です。子どものいない家庭は自分たちだけが無視された気持ちになり、感情がこじれる可能性があるからです。

その場合には、結婚記念日などにプレゼントをするといいかもしれません。最近は贈り物をする習慣が薄れていますから、意外な贈り物は喜ばれます。

子どもがいないきょうだいや結婚していないきょうだいは、「親に介護が必要になった場合、自分が面倒を見なければいけないだろうか」との心配をしているはずです。その意味では子どものいないきょうだいや結婚していないきょうだいにも配慮が必要です。またいまではだいぶ薄れつつありますが、子どもが男の子だけや女の子だけの家庭にも配慮は必要です。積極的に贈り物をして、コミュニケーションを深めておくといいでしょう。

出産祝いに限らず、きょうだいのイベントは、コミュニケーションを深めるチャンスとなります。日ごろ遠く離れて暮らしていると、コミュニケーションが不足しがちになり、仲が悪いわけではなくても、疎遠になると関係がギクシャクしがちです。

きっかけを見つけてプレゼントをしたり、お祝いを渡したりすると、相手を気遣っているとの気持ちが伝わります。そのときに、金額が少ないと形だけのお祝いになってしまいますが、相場よりも多めに渡すと金額に気持ちをのせることができます。

確かに手間でもあり、ドライな価値観の方には馴染まないかもしれませんが、相続を考えると大事な習慣だと思います。

贈与をしておくと相続で妥協を引き出しやすくなる

2021年に「このミステリーがすごい！」の大賞を受賞した新川帆立さんの『元彼の遺言状』は、2022年にフジテレビでドラマ化されました。亡くなった元彼の奇妙な遺言をめぐる遺産相続の物語ですが、その第1話では、「ポトラッチ」が登場しました。

ポトラッチとは、アメリカ大陸北西部先住民族による贈答慣行で、贈り物を表す言葉に由来します。ポトラッチは、誕生、婚姻、葬式などの機会に行われます。主催者が近隣の人々を招いて贈り物をします。贈り物をした瞬間には、お金が減ります。しかし、社会的通例以上の贈り物をすると、相手は「何か返さなければ」との気持ちになります。

これを相続の話に応用すれば、遺産分割をめぐってモメそうになったときに「贈り物をもらっていたのだから少しくらい我慢しよう」とモメにくくなることにもつながるのです。

出産祝いは贈与になるか

では、出産祝いを渡すことは贈与になるのでしょうか。

多めの金額を渡すのが効果的だとは言え、金額が多すぎると、贈与になる可能性も否定できません。ただ、「いくら以上は贈与」と金額で線引きすることはできません。最終的には、「社会通念上認められる範囲」かどうかで判断されます。

それを超える金額であると、贈与と判断される可能性があるのです。たとえば、１万円なら明らかにお祝いの範囲内でも、１００万円となると社会通念上、出産祝いとはいえず、贈与と見なされることはあります。

最近は価値観も多様化していますから、「社会通念上の範囲」が今後、問題になるかもしれません。

円満な相続のためには多めに渡すのが理想ですが、多すぎないことも重要であると頭の片隅に置いておいたほうがいいでしょう。

モメない人はこっち！

出産祝いは相場の金額より多い５万円

モメない人はどっち?

「養子になってほしい」と親族から相談を受けたとき

きょうだいに相談する

きょうだいは関係しないのであえて相談しない

養子縁組をすると相続税が節税できる

養子縁組が相続対策として利用されることがあります。相続税を計算する際には、財産額から基礎控除額を差し引くことができます。基礎控除額は次の式で計算します。

相続税の基礎控除額の計算式
基礎控除額＝3000万円＋（600万円×法定相続人の数）

たとえば、法定相続人が3人の場合には、3000万円＋（600万円×3人）で4800万円です。相続財産が4800万円以下であれば、相続税はかからないことになります。

法定相続人が4人の場合は、同じように計算すると基礎控除額は5400万円となります。法定相続人が1人増えれば、基礎控除額が600万円増えますので、非課税の財産の範囲が広がることになります。

相続税の税率

法定相続分に応ずる取得金額	税率
1,000万円以下	10%
3,000万円以下	15%
5,000万円以下	20%
1億円以下	30%
2億円以下	40%
3億円以下	45%
6億円以下	50%
6億円超	55%

たとえば課税対象の相続財産が1億円の場合

相続人が子ども2人

↓

最高税率は15%

相続人が子ども1人

↓

最高税率は30%

また、相続税の額を計算する際には、相続人ごとの法定相続分に応ずる取得金額に税率を当てはめます。相続税は、相続人1人当たりの法定相続分に応ずる取得金額が多いほど、税率が高くなります。相続人の数が増えることは、税率を下げることにつながり、節税効果が得られるのです。

実子がいない場合、2人までの養子が認められる

法定相続人の範囲は民法で決まっていますから、簡単に増やすことはできませんが、唯一の方法が養子縁組です。

ただし、相続税法上は無制限に養子が

認められているわけではありません。実子がいない場合には2人まで、実子がいる場合には1人の養子が、相続税法上は認められます。

養子になるケースが多いのは、親と同居している長男の妻や同居している長男の子どもです。長男の妻は、義理の両親の面倒を見ても相続人ではないので、相続の際に財産を受け取れません。その貢献に対して感謝の気持ちを示すために養子縁組をして相続人にするのです。長男の子どもは、将来、家を継いでもらうことを想定して、財産を残そうという意図が込められています。

仮に養子縁組をしても、「普通養子縁組」であれば、実の親子の関係が変わるわけではありません。戸籍謄本を取得したときに、実の父母の横に養父、養母という記載が付け加えられています。ただそれだけです。

養子縁組できょうだいの相続分や遺留分が減る

では、他の相続人からみるとどうでしょうか。同居長男の妻や子どもが養子縁組されると、相続人が増えますから、次男や長女の相続分が減ることになります。

また、法定相続人には遺言でも奪うことのできない取り分があります。これを遺留分といいます。遺言書を書くと、自分の資産を自由に配偶者や子どもたちに配分することができますが、長男に資産のすべてを相続させるようなことは現実的にはなかなかできません。各相続人は遺留分が最低限、保障されているからです。

遺留分は基本的に法定相続分の2分の1です。しかし、養子縁組で相続人の数が増えると、1人当たりの法定相続分が減りますので、遺留分も減ることになります。長男の子どもが養子になると、次男や長女は「私の遺留分を少なくするために養子縁組したのではないか」と疑心暗鬼にもなります。

ですから、養子縁組をすることをあえて相談しないことは、きょうだいの疑いを増長することになりかねません。「親父がうちの嫁さんを養子にしたいと言っているんだけど、どう思う?」などと、事前に相談したほうがいいでしょう。その際には「この先、親父たちに介護が必要になった場合に、うちの嫁が面倒を見ることが多くなるから、そのお礼の気持ちがあるらしい」と理由も伝えましょう。

養子になると相続税上はメリットになりますが、大変さもあるのです。事前に話をしないと、大変さは伝わりにくく、優遇の部分だけ目立ちます。

長男の妻の養子縁組に反対するのであれば、両親の介護は次男や長女の肩にもかかってくることになります。事前に相談することで「兄貴の嫁さんには面倒をかけるから、養子縁組はいいいんじゃないかな」と理解を示してくれるでしょう。

孫が養子縁組すると相続税は2割加算になる

あるいは後継者がいないために養子になって欲しいと頼まれるケースもあります。たとえば、女系家族で男性がいない家の女性が結婚する場合、結婚を機に夫が苗字を変えて養子縁組をすることがあるのです。

とくに資産のある家では、代々同じようにしてきています。こうすればうまく財産を継ぐことができるという成功体験があるので、自然なものとして養子縁組も利用しているのです。

この場合、次女や三女なども長女の夫が養子になるだろうということは想定していますが、養子縁組をする前には、他の姉妹には連絡をしたほうがいいでしょう。姉妹とコミュニケーションがうまくいっているのであれば、何かのタイミン

相続税の2割加算の対象となる人

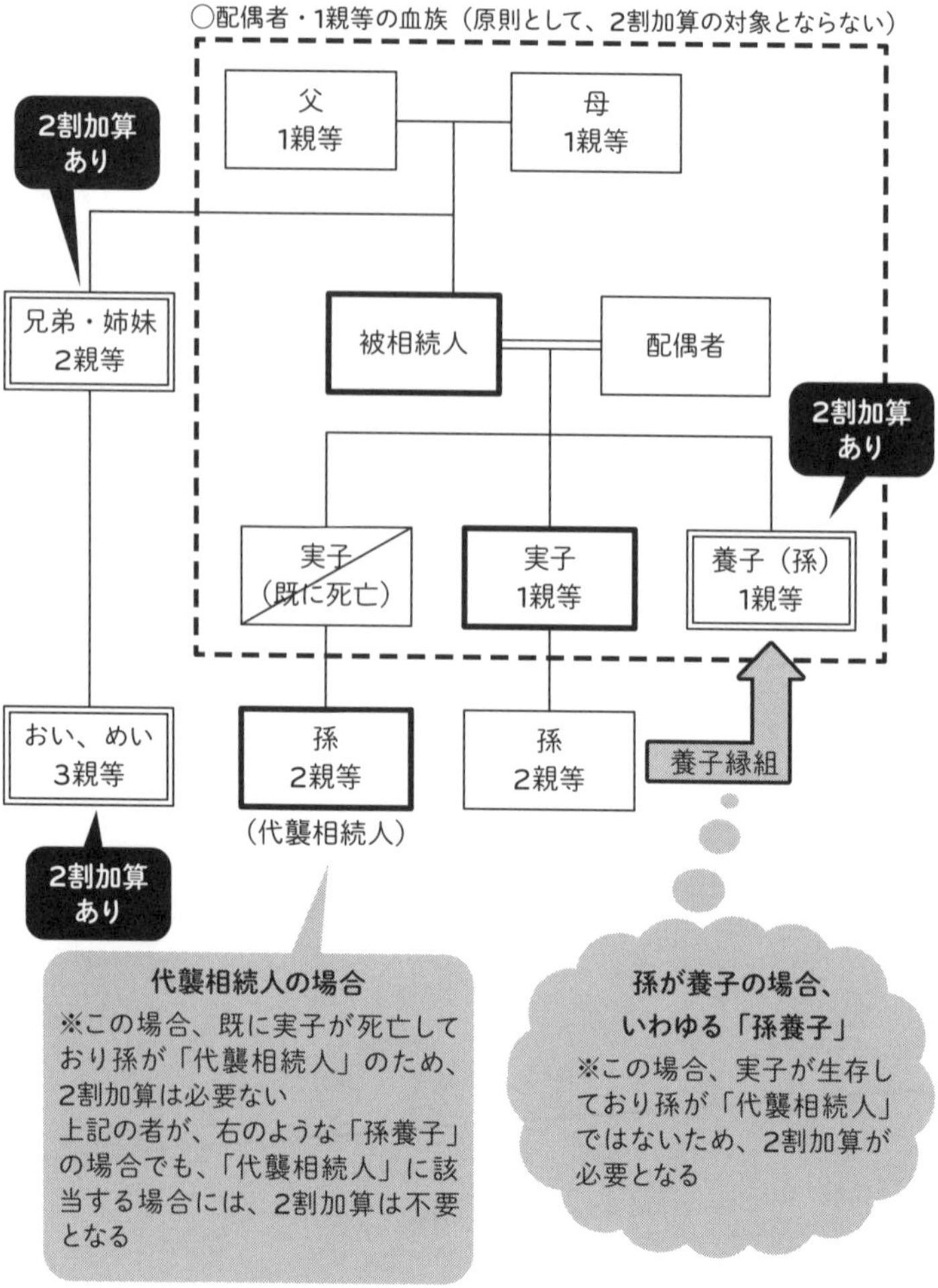

出典：国税庁「タックスアンサー」

グで「夫を養子にしたいと言われたんだよね」と事前に話しておくのがいいでしょう。

「親が話してくれるだろう」と親に頼りすぎてはいけません。養子縁組の話があったときに「僕から妹たちに話をしておくね」などと親に断って、話をするといいでしょう。そのときに親が「まずは私たちが話をするから」と言ってくれれば「自分からも話をしたいから、その後にするね」などと言うこともできます。

話を聞くきょうだいからすれば、事前に親から聞いたほうが納得しやすいこともあるからです。

ちなみに、長男の妻が養子になる場合は、相続税の加算はありませんが、代襲相続人ではない孫が養子になる場合には、相続税が2割加算になるので注意が必要です。

モメない人はこっち！

きょうだいに相談する

モメない人はどっち？

祖父母が亡くなったとき

父母が相続人として大変だと思うので手伝ってあげる

父母をあえて手伝わない

祖父母が亡くなったときの相続はよい経験となる

相続を身近な出来事として最初に経験するのは祖父母が亡くなったときでしょう。親が相続の手続きをすることになりますから、実際には関わらなくても、大変さなどは伝わってくるものです。

そのときに、「親が大変そうだからと考え積極的に手伝う」のと「あえて手伝わない」では、どちらがいいでしょうか。将来の相続のことを考えるなら、自分が相続人でない限りは積極的に関わらないほうがよいのです。

親自身に任せて、子どもは口を出さないのが無難です。ただ、相続を身近に感じるよい機会ですから、いずれ自分自身が相続人になることを考えて、問題意識を持って見守るのがよいでしょう。

たとえば、親が自分のきょうだいとモメて遺産分割協議に時間がかかれば、やはりきょうだいとのコミュニケーションを大事にしておいたほうがよいことが実感できます。あるいは、配偶者が意見を言ったことでもめごとが起きれば、配偶者は発言を控えたほうがよいことに気づくでしょう。

もし、親の体調がすぐれないなどで「手伝ってほしい」と言われた場合は、できる限りサポートしてあげましょう。その経験は決して無駄にはならないはずです。相続をより身近に感じることができて、将来の準備に役立ちます。

「相続セミナーに参加してみたら」と親に勧めるのもＮＧ

話は変わりますが、相続に関するセミナーに参加する人は、親よりも子どものほうが多くなります。親が亡くなる前に有利な相続方法を勉強したいと考えているのでしょう。反対に親はあまり参加しません。相続について考えることは、自分の死と向き合うことに他なりません。誰でも自分の死について積極的に考えたくはないものです。最近は終活意識が高まり、自分が亡くなったときにどんな葬儀をしてほしいかなど、希望を書き記すこともありますが、セミナーに参加するのは子ども世代が多いことに変わりはありません。

親にしてみれば、子どもが有利な相続の方法を勉強するのは、自分の資産をうばわれるような感じがしてよい気はしません。ですから、セミナーに参加したからといって、それを親にあえて話をするのは避けたほうがいいかもしれません。

あるいは親に「相続セミナーに参加してみたら」とストレートに促すのもやめたほうがいいでしょう。親からすると「自分が得したいからじゃないか」と思いますし、きょうだいに知られた場合にも同じように「親を自分の思い通りにしようとしているのではないか」との疑いをもたれてしまいます。

目的がどうであろうと、勉強することはいいことです。ただ、親に相続対策をしてほしいと考えるなら、親孝行が先だと思います。なぜなら、「親孝行してくれた子どもには相続対策をしてあげよう」と考える親が多いからです。

まったく親孝行をせず、顔も見せない子どもよりも、何かと気遣いをしてくれる子どものほうがかわいいと感じます。「相続で困らないようにしてあげたい」と考えるものです。相続について勉強することと同じように親孝行も大事であると知っておきましょう。

モメない人はこっち！

父母をあえて手伝わない

モメない人はどっち？

父が再婚したとき

そっと見守る

あえて派手にお祝いをしてあげる

晩年に再婚する父親は子どもに配慮がない？

母親が早く亡くなり、晩年になって父親が再婚した場合、その後の相続はどうなるでしょうか。再婚した時点から配偶者は相続人になります。前妻の子どもからすれば、父親の再婚によって相続人が増えれば、自分たちの法定相続分は減ってしまいます。相続のライバルが増えるわけですから、父親の再婚を心から喜べない面もあるでしょう。

再婚する際に、父親が子どもたちに対して、何らかの配慮をすれば少しは違うのですが、実際にはまったく気遣いがないケースが少なくありません。自分の幸せだけを優先して再婚を決断してしまっていることもあるのです。その場合再婚をきっかけに子どもたちと父親の間に感情の溝ができてしまうことが多いのです。

しかし、関係が悪化したままでは、相続の際にモメやすくなります。良好な関係を維持するには、父親の再婚をできる限り祝福するのが最良の策となります。素直に祝福できない気持ちであったとしても、一旦気持ちを落ち着かせて祝福することが将来の相続を円満にすることにつながります。

「そっと見守る」というのも、配慮の一つかもしれませんが、父親にしてみれば、子どもたちは怒っているだろうと感じて、遠ざかってしまいがちです。再婚した配偶者にしても、「子どもたちからライバルと見られている」と感じて、関係がギクシャクしてしまうでしょう。

きょうだいが協力し合って再婚を祝えば、きょうだい間のコミュニケーションも深まる

関係を悪くしないためには、父親の再婚をあえてきょうだいが協力し合って派手に祝福するのです。その過程できょうだい間のコミュニケーションも深めることもできますから、一挙両得ともいえます。家庭内で再婚式を挙げてみてはどうでしょうか。


父親と再婚した配偶者の間に子どもが生まれると、この子どもも相続人になりますから、関係はさらにこじれやすくなります。

ちなみに再婚した配偶者に連れ子がいた場合に、連れ子は相続人になりません。

ただし、父親が養子縁組すれば相続人となります。

前妻の子どもからすれば、自分たちが先に生まれたという意識がありますから、相続では優遇されるべきだとの気持ちがあります。しかし、一緒に生活をしているのは、再婚した配偶者と新たに生まれた子どもです。再婚した配偶者からすれば、自分の子どもが有利になることを望むはずです。父親（夫）に働きかけるかもしれません。

前妻の子どもたちが再婚を祝福してくれれば、父親にしても「前妻の子どもたちにもしっかり配慮しなければいけない」と感じます。

モメない人はこっち！

あえて派手にお祝いをしてあげる

モメないはどっち？

正月（お盆）に家族の集まりがあったとき

他の用事もあるので参加せずに他の日に埋め合わせする

用事があっても必ず優先する

1年に1度は家族で集まる日をつくる

社会人になったり、結婚したりして、実家から離れて暮らすようになると、家族が一堂に集まる機会は少なくなってしまいます。正月やお盆などは、家族が実家に集まる数少ない機会です。

たとえば、「正月に久しぶりにみんなで集まろう」と声がかかったとき、他に用事があったとしても、できるだけ予定を調整して参加したほうが、将来の相続ではモメにくくなります。両親に対しては、後日、埋め合わせることはできても、きょうだいとは会えなくなってしまいます。

もし、正月やお盆の時期に集まる習慣がなければ、「1月2日は毎年みんなで集まろう」などと提案してみてはどうでしょうか。毎年同じ日に集まることが決まっていれば、互いに参加しやすくなります。

相続でもめごとが起きてしまう原因の多くはコミュニケーション不足です。

きょうだいにしてもそれぞれの生活があるので、つい疎遠になってしまいます。相手の家族の様子もわからないので、気遣いもできなくなり、どんどん関係性が薄れます。

そのまま相続が発生してしまうと、それぞれが自分の権利だけを主張することになってしまうのです。

モメない人はこっち!

用事があっても必ず優先する

コラム

優遇されてきた人が優遇されなかった人に譲るのが大事

お父さんが亡くなり、母親と三姉妹が相続人になりました。一番下の妹さんが窓口になり、私たちが申告のお手伝いをさせていただくことになりました。相続では相続人のうちのひとりが窓口になるのが一般的で、実家で同居していた人が代表するケースが多くなります。必要な書類が実家に置いてあることが多いからです。

このケースでは、次女が両親と同居していたのですが、亡くなった父親が「財産はおまえに任せる」と言っていたのは三女でした。三女本人がそう主張したのですが、本当にそうなのかは、他の姉妹にはわかりません。結果、残念ながらモメてしまうことになったのですが、その背景には長女が幼いころから優遇されていたということがありました。父親は小学校の校長先生を務めた名士で、地元からの信頼も厚い方でした。日ごろから自宅には優秀な教え子たちが多く訪問してきていました。

そのたびに長女は父に紹介してもらい、可愛がられていい思いをしていたのです。三女にはそうした経験がまったくなく、日ごろから格差が生まれていたのです。父親もそれを気にしていたのか、自分の財産の情報は三女だけに話をしていたのです。それが結果的にモメるきっかけになってしまいました。三女にしてみれば、いままでの気持ちを相続で吐き出してしまったのでしょう。

言い合いが続き、弁護士をいれなければ解決は難しいのかもしれないと考えたのですが、最終的にはきょうだいの絆が勝って、和解することができました。それはいままでいい思いをしてきた長女が妹の気持ちを察して譲ることができたからでした。このケースでは家族関係が壊れてしまう最悪の事態は回避できたのですが、一度モメてしまうと、その後には少なからずしこりが残ってしまいます。

親子にしてもきょうだいにしても、その絆は不思議なもので、何かきっかけがあれば冷静に話し合いができるものです。相続人のひとりに譲る気持ちが生まれれば、他の人も譲り合えることもあります。

誰が最初に譲るかという面もありますが、優遇されてきた人が、優遇されなかった人に譲るという精神が大事だと思います。

第2章

40代・50代編

親が高齢になり変化の時期。
一つ一つの意思決定が
相続問題に直結する!

モメない人はどっち?

実家に帰省するとき

ひとりで抵抗なく帰れる

子どもや配偶者と一緒に帰りたい

どうすれば本音の話が聞ける？

将来の相続を考えると、どこに住むかは重要です。できればひとりでふらっと実家に帰ることができる場所に住むことが理想です。実家の近くに住んでいると、交流が面倒だなと思ったり、介護が必要になったときに負担が増えるのではないかと考えて、マイホームを購入する際に実家から離れた場所を選ぶ人もいます。配偶者に実家の近くに住むことを反対される場合もあるでしょう。

しかし、実家の近くに住んでいれば、会社帰りにふらっと寄ることもできますし、休日に親の顔を見に行くこともできます。そのときに大事なのは、家族と一緒に帰るだけではなく、ひとりで帰る機会もつくることです。

親にしても配偶者や孫が一緒であれば、日ごろ気になっていることなどは話しにくいものです。子どもがひとりで帰ってくれば、誰に気を使うこともなく話をすることができます。遺言を書きたい、お墓をなんとかしたい、写真を整理したいなど、そのときに思っていることを話しやすくなるのです。

とくに子どもと母親の関係の場合、子どもが自分の誕生日に母親を訪ねるのが効果的です。そのときに「産んでくれたおかげでここまでやってきたよ。ありがとうね」などと声を掛ければ、母親も喜んでくれるはずです。そんなことを言うのは照れ臭いと考えてしまうかもしれませんが、これは、実際にあった体験談として聞いた話です。不安に思っていることやお金のことなどを話してくれるかもしれません。普段はしにくい相続の話が出てくる可能性もあるでしょう。

また、親の世代は金融機関からのセールスも昔は多かったので、必要以上に多くの口座を保有している可能性があります。そのまま亡くなってしまえば、口座を見つけ出すだけでも大変な手間になります。生前に保有口座の整理をしておくだけでも、相続時の苦労を減らすことができます。

最近はネット口座も増えています。ネット口座は郵便物もほとんど届きませんので、亡くなってから口座を確認しようとしても難しい面があります。

デジタル遺品を考える会代表の古田雄介さんは、デジタルをアナログで保管する方法を提唱しています。たとえば、忘れてしまいがちな暗証番号は紙のカードに記入して、その上から修正テープを貼って見えないようにしておくのです。

親世代には紙で保管する文化が根付いていますから、受け入れられやすい方法でしょう。ひとりで実家に帰ると、そんな話をする機会も生まれます。

実家の情報はきょうだいと共有する

その際に注意しなければいけないのは、きょうだいにも情報を共有することです。ひとりだけ頻繁に実家に帰っていると「あいつは何をしているんだ」「自分に有利な遺言を書かせるつもりじゃないか」との疑念が生じかねません。

実家に帰ったときには、「元気だったよ」など、簡単な内容で構いませんから、情報を共有しておくのがいいでしょう。気軽にコミュニケーションをとるために、きょうだいでLINEグループをつくっておくと便利です。実家に帰ったときの写真を簡単にアップできますし、緊急連絡網として利用することもできます。

モメない人はこっち！

ひとりで抵抗なく帰れる

モメない人はどっち？

両親がスマホに切り替えたとき

自分が両親にスマホの操作を教えてあげよう

面倒だから、きょうだいにまかせよう

長男の妻も寄与分を請求できるようになった

いまやスマートフォンは生活必需品です。しかし、親世代にはスマホに慣れていない人が多く、「操作方法がわからない」「動かなくなった」などと些細なことでも、子どもに相談することが少なくありません。

そんなときに面倒がらず、気持ちよく教えてくれる子どもを親はかわいいと思うものです。相続の際にそれまで親の世話をどれくらい見ていたかが問題になるケースがあります。寄与分と呼ばれるもので、親の財産の維持や増加について、特別な寄与をした相続人がいる場合には、寄与した分を法定相続分に上乗せするものです。

寄与分の考え方も時代とともに変わっています。以前は寄与分が認められるのは相続人のみで、長男の妻が義理の父親や母親の介護を献身的にしたとしても、対象外でした。長男の妻の寄与分を長男の相続分に上乗せする方法はありましたが、先に長男が亡くなってしまった場合などには、長男の妻が寄与分を請求する方法がなかったのです。

2019年7月に「特別寄与料」という制度がスタートしました。新たな制度で「特別寄与料」を請求できるのは「被相続人の相続人でない親族」と定められています。「親族」とは、6親等内の血族、配偶者、3親等内の姻族を指します。これにより長男の妻は「相続人でない親族」に該当しますので、特別寄与料を相続人に直接請求できることとなりました。

ただ、どのくらい面倒を見たのか、寄与度を証明するのは難しいので、特別寄与料を請求するのはハードルが高いと言わざるをえません。基本的にはなかなか認められないと考えた方がいいでしょう。

だからこそ、誰かに負担を押し付ける状態にならないようにしなければなりません。遠くに住んでいるとか、海外に赴任しているとか、面倒を見ることができない状況にあるケースもあるでしょうが、その場合には面倒を見てくれているきょうだいに感謝の言葉を伝えたり、贈り物をするなどの配慮が必要です。

それを怠ると、負担を強いられているきょうだいに不満がたまり、相続のときに感情が爆発してモメてしまう可能性が高くなります。

きょうだい間で負担のバランスをとることが大事です。場合によってはバラン

相続における権利と義務のバランスシート

権利	義務
相続で受け取る可能性のある資産	親の買い物のサポートをする
	2か月に1度は一緒に食事をする
	実家の片づけを手伝う

スシートをつくってもいいかもしれません。将来受け取る可能性のある資産の分、親に貢献するのです。権利をもらうことばかり考えず、病気になったら介護をするなど、義務を増やしていく発想が重要です。

義務をひとりで抱えるとつらいものです。きょうだいがいれば義務をシェアしていきましょう。権利と義務のバランスがよい状態になっていれば、モメにくくなります。

モメない人はこっち！

自分が両親にスマホの操作を教えてあげよう

モメない人はどっち?

親の事業を継ごうと思ったとき

自分が大変だと思ってしまう

自分はありがたいと思う

親の事業を受け継ぐ子にも、受け継がない子にも不満がある？

　親が事業や農業を営んでいる場合、子どもに後を継いで欲しいと考えるのは自然なことです。それを受け継ぐ子がプラスと感じるか、マイナスと感じるかによって、相続の際にきょうだいとモメるか、モメないかを分けることになります。

　たとえば、長男が事業を継ぐ場合、他のきょうだいは「兄貴ばかり後継者としてちやほやされている、いい思いをしている」と思いがちです。

　一方で長男本人は、自分の将来に自由がない気がして、「好きなことをできない」と不満を感じます。実際に事業を継ぐとなれば大変な面は確かに多いですが、半面、いいこともたくさんあります。

　長男の気持ちとして「大変だ」と思ってしまう感情が大きいと、きょうだいとの関係はこじれてしまいます。逆に「ありがたい」と思うことができれば、他のきょうだいにも配慮する気持ちも生まれ、きょうだい間の関係も悪くなりません。

農家で娘が長子の場合はモメやすくなる

農家の後継ぎはさらに大変です。農家の場合、事業の経費に加え、広大な土地には固定資産税がかかりますので収益性は厳しく資金繰りに苦労します。休みもなかなかありません。

以前農家の後継者と話をする機会がありましたが、「サラリーマンのときのほうが楽でした」と本音を吐露する方も多かったです。政府は食糧の自給率を高めるために農家に対して税制優遇などをしていますが、当事者にとっては非常に厳しいのが現状なのです。

それでもプラス思考で考えている後継者はいます。普通に相続をすれば多額の相続税がかかりますが、農地であれば納税猶予を受けることができます。その立場をありがたく思っている人は、他のきょうだいともうまくいきます。

こんな例がありました。

ある農家に姉と弟の2人の子どもがいました。農家で娘が長子である場合、「土地は自分のもの」という意識が強くなりがちです。その姉も農地の一部を利用して、家庭菜園をしていて、土地に愛着をもっていました。

にもかかわらず、長男である弟が相続して農家を続けることになり、姉は愛着のある土地を弟に奪われてしまい寂しい気持ちになりました。自分が親の土地を使えなくなるのはいやだとの意識もあるでしょう。

姉にしてみれば、思い入れのある土地を弟に譲るのであれば、「金融資産で配慮して欲しい」となります。ところが農家で豊富な金融資産を持っているケースは少ないので、姉に金融資産を渡すと相続税が払えなくなってしまう可能性があります。それでモメてしまうのです。

後継ぎ以外に渡す財産を用意しておく

このようなケースでも、弟が「ありがたい」との思いでいると、姉に渡すための金融資産を事前に準備しようとの気持ちになります。

これを代償分割といいます。ひとりの相続人が親の財産を取得する代わりに、他の相続人にお金を払って清算する方法です。農業に限らず、相続財産が土地や建物などの不動産に偏っているケースは少なくありません。

不動産を売却して現金を分割する方法もありますが、事業や農業を営んでいる場合や代々受け継いだ土地の場合などには、売却が難しいこともあります。代償分割であれば、不動産を残しつつ遺産分割をスムーズに進めることができます。

一方で親の事業を継がないと決めた場合にもきょうだいへの配慮が必要です。とくに長男が自分の好きなことをするために、親の事業を継がずに弟などに継いでもらうときには、自分勝手だと思われがちです。それを意識して、他の部分で親に貢献するなどバランスをとる必要があります。

モメない人はこっち!

自分はありがたいと思う

モメないのはどっち?

きょうだいが海外赴任や海外在住のとき

海外でいい生活ができてうらやましいと思う

慣れない海外で大変だろうなと思う

海外赴任は年々増加している

きょうだいが海外赴任をするケースもあるでしょう。外務省の海外在留邦人数調査統計によると、海外在留邦人の数は年々増加しています。２０２０年以降はコロナ禍の影響で減っていますが、２０１９年までは一貫して上昇していました。

２０１９年と20年前の１９９９年を比較すると約１・８倍に増加しています。今後、きょうだいの誰かが海外に転勤する、海外に移住することがあるかもしれません。

そのときに「海外でいい生活ができてうらやましいと思う」と考えるのと、「慣れない海外で大変だろうなと思う」のでは、どちらが将来の相続でモメないでしょうか。結論から紹介すると、モメないのは後者の「慣れない海外で大変だろうなと思う」です。

海外生活にあこがれる人は少なくありません。しかし、実際に暮らすことを考えると、大変です。言葉の壁はありますし、文化も違います。子どもがいる人であれば、教育はどうすればいいかなどにも悩みます。

海外在留邦人数推計の推移

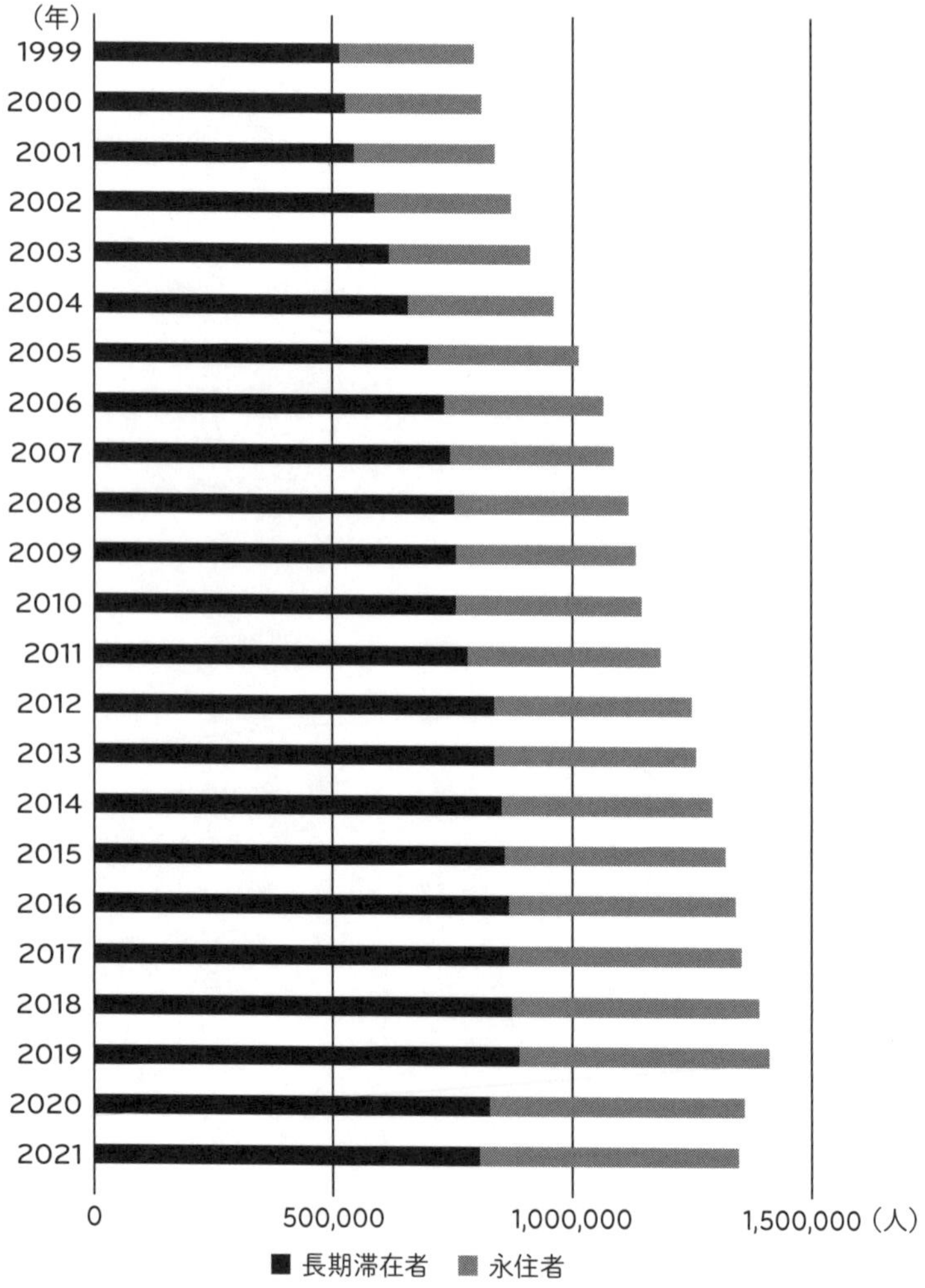

出典：外務省「海外在留邦人数調査統計」

また、きょうだいが海外へ行ってしまうと、すぐには帰国できません。残された人は「両親に何かあれば、自分たちが面倒を見なければいけないのか」とのプレッシャーも感じます。たしかに、国内にいる子ども、あるいは実家の近くに住んでいる子どもが両親をサポートするケースが多くなります。ただそれはマイナスなことばかりではありません。何かと気にしてくれる子どもを親はかわいいと感じます。面倒を見てもらった代わりに財産を多めに残そうと考えたり贈与することもあるでしょう。

大事なのは海外赴任しているきょうだいにも情報共有しておくことです。親の様子を時々伝えておくことで、実家の状況がわかります。いざ相続が発生した際には、「親の面倒を見てもらったから」と譲る気持ちも生まれるでしょう。

モメない人はこっち！

慣れない海外で大変だろうなと思う

モメない人はどっち？

子どもをつくらないと決めたとき

きょうだいとは距離を置いて、夫婦ふたりの生活を楽しもう、と考える

子ども間の交流はなくとも、自分のきょうだいとのつながりをなるべく保っておこう、と考える

子どものいない夫婦は相続でモメやすい

子どもがいない夫婦で、夫が先に亡くなった場合、相続はどうなるでしょうか。子どもがいない場合には遺産分割のルールとして、配偶者（妻）と夫の両親が法定相続人となります。しかし、夫の両親はすでに亡くなっていることも多いので、その場合は夫の「兄弟姉妹」が法定相続人になります。

子どもがいない夫婦は、親戚づきあいが疎遠になりがちです。子どもがいれば、子ども同士のイベントなどで夫のきょうだいともつながりができやすくなりますが、子どもがいないと接点が減りコミュニケーションが不足しがちです。

その結果、相続ではモメやすくなります。

妻にしてみれば、夫の財産は一緒に築いてきたとの意識がありますから、夫のきょうだいに渡すのは抵抗があります。反対に夫のきょうだいからしてみると、もともと自分たちの家の財産という意識が強く、妻に財産が渡ってしまうことに

子どもがおらず、両親が亡くなっている場合の法定相続人

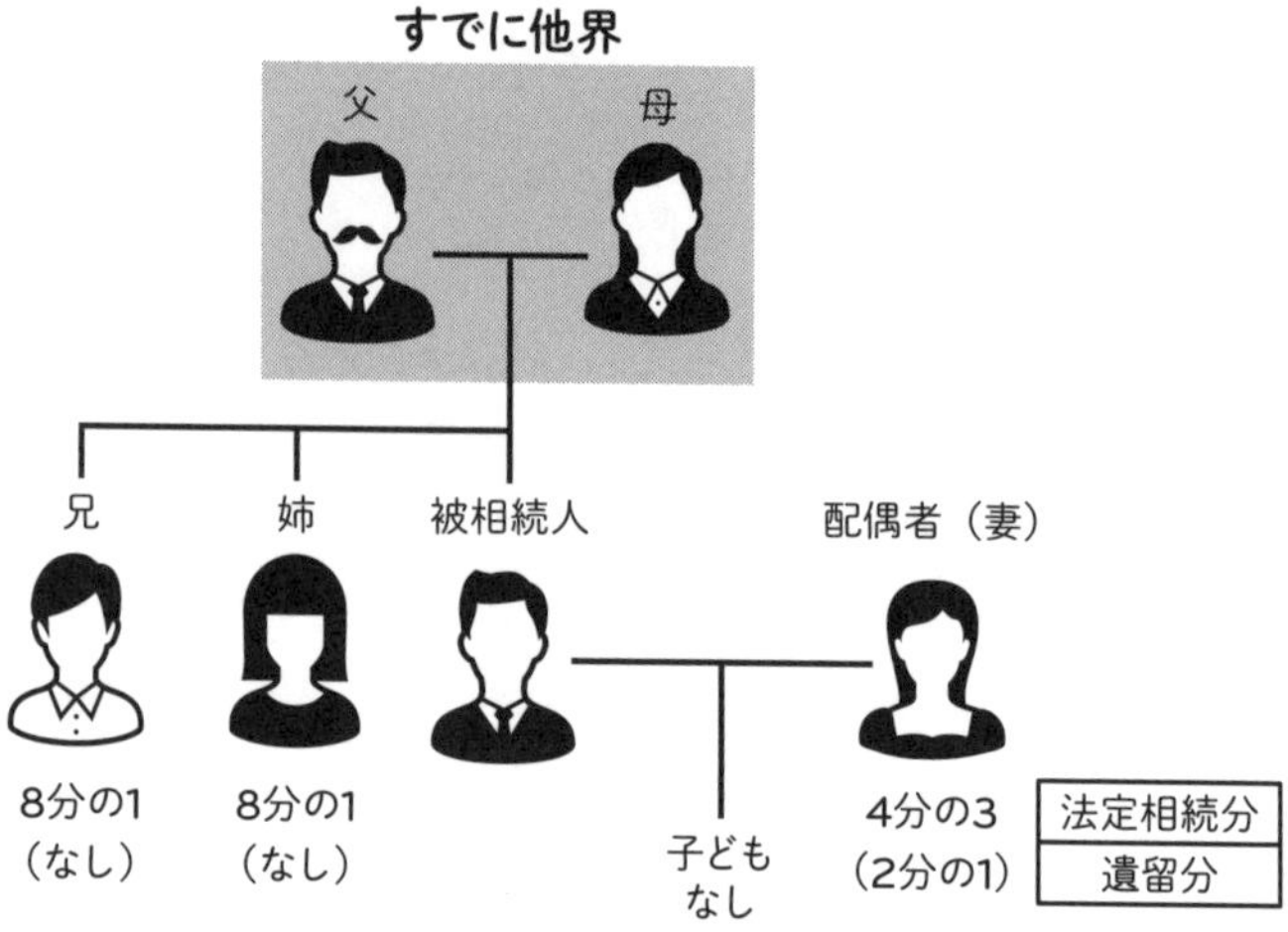

抵抗を感じます。

疎遠になっていると、どちらも譲れなくなりモメてしまいがちですから、夫の生前に遺言書を書いてもらうなどの対策が重要です。

遺言書を書いても遺留分を侵害することはできません。しかし、夫の「兄弟姉妹」には遺留分はありませんので、すべての財産を妻に残すことも可能です。ただ、相続の関係をこじらせないためには、夫の実家の土地だけはきょうだいに返すなどの配慮も必要かもしれません。

モメない人はこっち！

子ども間の交流はなくとも、自分のきょうだいとのつながりをなるべく保っておこう、と考える

モメない人はどっち？

親に遺言書を書いてもらったとき

まず遺言書の内容に着目する

遺言書を書いた親の心境に着目する

遺言書を書くのは大きなストレスになる

相続トラブルを回避するためには遺言書が欠かせないことは、多くの人が理解していると思います。しかし、実際に遺言書を書く人はごくわずかです。税理士法人レガシィの統計によれば約1割です。遺言書を書くのは大きなストレスになるからです。

遺言書を書くには、自分が亡くなったときのことを想像しなければなりません。これは自分の死と向き合うことに他ならず、誰しも嫌なものです。これから自分がしたいことを考えるのであれば楽しくできますが、死んだときのことを考えるのは気が進みません。

そのハードルを乗り越えたとしても、親にしてみれば、すべての子どもがかわいいものです。すべての子どもに公平に資産を分けることができればいいのですが、自宅など分割が難しい財産もあります。誰に何を残すかを考えるのは、親にとって非常に難しい決断です。

ですから、親が遺言書を書いてくれたときには、まずは「ありがたい」と思うことが大事です。感謝もせずに「自分にどのくらいの資産を残してくれるのか」ばかり気にしていると、親との関係もこじれてしまいます。

遺言書の内容が気になったとしても「親父とおふくろでつくった財産なんだから、2人の自由にしてよ」と伝えれば、親も心が安らぎます。

遺言書が「ある」場合と「ない」場合ではどちらがモメにくい？

実際に遺言書がある場合とない場合では、どちらがモメにくいのでしょうか。答えは遺言書がある場合です。相続でもめごとが起きる多くの理由は、遺産分割の割合です。遺言書があり、正しい書式に則って書かれていれば、その通りに遺産を分ければよく、相続人の間で話し合いが不要ですから、モメる理由がないのです。

遺言書があるのにモメてしまうケースがあるとすれば、「遺言書に書かれた財産の内容と実際の財産が変わってしまっている」「遺言書に書かれていない財産が見つかった」ときなどです。

　これを避けるために、財産の内容が変わったときには、遺言書を変更しておきましょう。「遺言書は一度書くと変更できない」と考えている人もいますが、そんなことはありません。毎年書き直しても問題ありません。遺言者は日付の最も新しいものが有効となります。

　また、遺言書に書かれていない財産が見つかったときにモメないためには、遺言書を書くときに「その他の財産は○○のもの」と記載しておくといいでしょう。

　フィクションの世界ではありますが、中には横溝正史の「犬神家の一族」のように、遺言があっても大方の相続人にとって突飛な内容が書いてあることで揉めてしまうケースもあります。遺言を書いた方がどんな想いでそう考えたのか、付言事項や別の形で伝わるようにするのが理想ではあります。


モメない人はこっち！

遺言書を書いた親の心境に着目する

モメない人はどっち?

親の介護が必要になったとき、
親と同居するとき

愚痴っぽくなるから、きょうだいへ実情をあまり伝えないようにする

介護のようすを積極的にきょうだいに共有する

同居していないきょうだいには親の介護の苦労は伝わりにくい

親の介護が必要になったとき、同居している子どもが面倒を見るケースが多くなります。世話をする人にとって親の介護は大きな負担ですが、同居していない人には、その苦労が伝わりにくいのが実情です。

それどころか、同居しているきょうだいが親の財産をどうにかしようとしているのではないか、との疑念さえ抱くこともあります。介護をするためには、親の財産を管理して必要な資金を引き出すことも必要です。

だからこそ、他のきょうだいからすれば、使い込んでいないか心配になるわけです。それを回避するには、お金の使い道を明確にしておく必要があります。ある程度は、日々のコミュニケーションを円滑にしておくことで解決できます。

たとえば、病院通いが必要になったときなどに、こまめに連絡をしていれば、お金の話をしなくても、きょうだいには察しがつきます。落ち着いたところでかかった費用についても報告をしておくと、さらにいいでしょう。

きょうだいから「少し負担しようか」と言われたときには、「お父さんから銀行預金から支払うように言われているから大丈夫だよ」などと話をすれば、状況がきょうだいにも伝わります。

親と同居していると、親とは近い関係にありますが、きょうだいとは距離ができてしまいがちです。意識してコミュニケーションをとっておくことが大事です。よって、親の介護が必要になったとき、親と同居するときに、将来モメやすくなるのは、「愚痴っぽくなるから、きょうだいへ実情をあまり伝えないようにしよう」と考えることです。「介護のようすを積極的にきょうだいに共有しよう」と考えるのが正解です。

認知症にも備えておく必要があるが、難しい面もある

高齢になると判断能力が衰えることも多くなります。また、認知症に備えておくことも大事です。認知症になると、本人の財産を守るために、銀行口座などが凍結される可能性があります。

預金を引き出せなくなるだけでなく、贈与や信託、不動産投資などができなく

なり、相続まで何も対策を講じられなくなってしまいます。

認知症になる前に金融機関を通じて代理制度や信託制度を利用していれば問題ないのですが、実際に症状が出てみないとわからないことが多いので、気付いたときには遅かったとなってしまいます。


認知症になってしまってからできる対策として成年後見制度があります。家庭裁判所が成年後見人等を選定して、本人に代わって預金の出し入れや契約行為などをサポートしてくれる制度です。

ただ、実際に利用しようと考えると使い勝手がいいとはいえないのが実情です。後見人が家族であれば手続きもしやすいのですが、子どもが選ばれないことも多いのです。

家族は利害関係者なので公平なサポートができないと考えられているからです。実際には司法書士や弁護士が選ばれることが多いです。

また、後見人には毎月３万～５万円の報酬を支払う必要があります。一方で後見人に手続きをお願いすることは、頻繁に発生するわけではありません。家の処

家族信託の仕組み

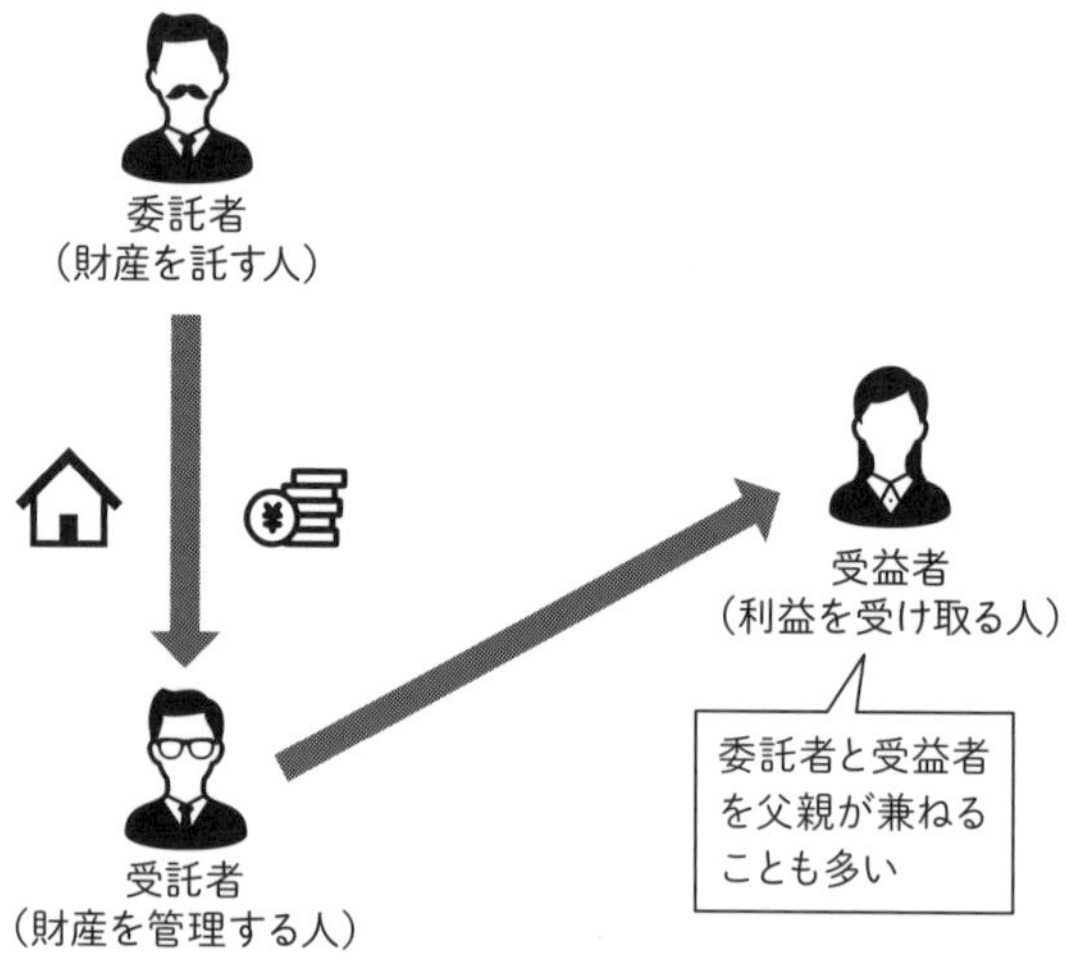

分や改築などが必要になった際に依頼する程度です。

そこで意思決定をするときだけ成年後見人を選ぶ「限定後見」と呼ばれる制度が検討されていますが、実現するかどうか今のところわかりません。

認知症になる前なら民事信託も選択肢

一方で米国にならって2007年に民事信託が導入され、話題になっています。

民事信託とは、財産を保有する人が「委託者」となって、信頼できる人を「受託者」にして、受託者に管理・活用してもらう方法です。得られた利益はあらかじめ設定した「受益者」に給付されます。

民事信託は家族信託とも呼ばれています。たとえば父親が「委託者」兼「受益者」となり、家族が「受託者」となる信託契約を結ぶことで、父親が認知症になっても家族が財産の管理・活用ができます。

ただ、「委託者」「受託者」「受益者」の3者が登場し、仕組みが複雑でわかりにくく、利用するには弁護士や司法書士や税理士に依頼をする必要があるので、本格的な活用にあたりまだハードルが高い状況です。しかし認知症になる前の状況であれば便利であることは確かなので一考に値します。

モメない人はこっち！

介護のようすを積極的にきょうだいに共有する

モメない人はどっち？

親が生命保険を契約し、受取人になったとき

受取人になったことをきょうだいに共有する

受取人になったことは言わないでおく

生命保険がもめごとにつながる

親が生命保険に加入して子どもが受取人になるケースはよくあります。保険金を受け取るのは、親が亡くなったときですから相続の一環と考えることができます。

ただ、親の生前に将来もらえる権利が確定している状態なので、贈与的側面もあります。

親が亡くなったときに生命保険を受け取った人は「親の寵愛を受けていた」と感じますし、受け取らなかった人は「寵愛を受けていなかった」と感じてしまいます。こうした感情の違いからモメやすくなります。

ですから、保険金を受け取った人は「自分が得をしている」ことを認識して、他の相続人に配慮する必要があります。「受け取って当たり前」と考えるのではなく、「自分だけ受け取っていいのだろうか」という気持ちを持つことも大事なのです。

こんな事例がありました。

相続人は、長男、次男、長女の3人でした。次男と長女は生命保険の受取人になっていましたが、長男は受取人にはなっていませんでした。

長男がマイペースだったため、次男が実家の敷地内に自分の家を建てて、親の面倒を見ていました。長男は電車で1時間ほど離れた場所に住んでいました。独身です。

相続が発生して、次男が長女や長男に連絡し、遺産分割協議のため久しぶりに会いました。その前に次男と長女は「兄貴とモメなければいいが」と話をしていました。

ある程度の金融資産がありましたので、それをきょうだいで分けることになったのですが、保険金が多額であったため、長男が異論を唱えるのではないかと考えたのです。

生命保険は遺産分割の対象外だが

そもそも生命保険の保険金は、受取人の固有の財産として認められていますので、遺産分割協議の対象とはなりません。

ただし、相続税の申告の際には、保険金も相続財産に含めて相続税を計算しなければなりませんので、保険金の受取人になっている人は、他の相続人に保険金について開示しなければなりません。

また、保険金には「５００万円×法定相続人分」の非課税枠があるので、このケースでは１５００万円が非課税になりました。

申告の手続きの際に、次男と長女は保険金を受け取り、長男だけが受け取らないことがわかってしまうので、長男が多めの財産を主張する可能性が高くなります。

しかし、親と同じ敷地に自宅を建てて面倒を見てきた弟さんにしてみれば納得できない面もあります。

このケースの場合、どうすれば円満に相続手続きができたでしょうか。マイペースの兄であっても、次男が親の面倒を見ている状況を時折長男に連絡して、「最近、お父さんの具合が悪くなっている」などと情報を共有しておくのが理想だったのです。

それによって兄にも「弟が親の面倒を見てくれているんだなあ」といったことが伝わるので、相続のときに生命保険の受取人になっていることを知っても、「これまで面倒を見てくれたんだから受け取るのは当然だよ」と言ってくれる可能性があります。

受取人になった理由をきょうだいに話しておく

生命保険の「受取人になったことをきょうだいに共有する」か「受取人になったことは言わないでおく」かを比較するなら、受取人になっていることを共有した上で、なぜ受取人になったのか、その理由をできれば知ってもらうのが将来のもめごとを回避することにつながります。

権利を開示するとともに、抱えている義務もオープンにするのです。生命保険の受取人になったと同時に、親の面倒を見ていることをきょうだいに伝えることで、納得感が得られます。

親の面倒を見ていると大変なことも多いでしょうが、きょうだいに愚痴るのはできればやめたほうがいいでしょう。負の感情の連鎖になってしまうからです。ただ、何も言わないよりは、客観的な事実は共有したほうがいいのです。

モメない人はこっち！

受取人になったことをきょうだいに共有する

モメない人はどっち?

親がお墓について悩んでいるとき

自分も積極的に
深く関与する

親の気持ちが第一だから、
あまり介入しないでおく

関わるかどうかの判断基準は「自分の利益にならない」こと

親が遺言書を書こうとしているときには、あまり積極的に関わらないほうがいいことは、すでに紹介しました（98ページ）。

では、親がお墓について悩んでいるときはどうでしょうか？

結論から言えば遺言書とは反対に主体的に関わったほうが後でモメる可能性が低いといえます。「親の気持ちが第一だから、あまり介入しないでおいたほうがいいのではないか」と考えて、静かに見守っていると、後になって「あのとき相談に乗ってくれなかったよね」と言われてしまう可能性があります。

子ども世代には、お墓はあまり重要ではないと考えている人も多く、「親が自由にすればいい」と考えて、親任せになってしまいがちですが、親が悩んでいるのであれば、一緒に手伝ってあげたほうがいいのです。

遺言書は深く関わらず、お墓は関わったほうがいい――。

関わったほうがいいかどうかをどう判断するのかと、迷うかもしれません。

その場合の判断基準として、「自分の利益になるかどうか」を基準にするといいでしょう。遺言書は、相続人の利害に関係しますので、積極的に関わってしまうと「親の財産を狙っているのではないか」「自分に有利にしようとしているのではないか」と疑念を持たれ、逆効果になってしまいます。

一方でお墓に関しては、親がどんな選択をしても子ども（相続人）の利害とはそこまで関係しないのが一般的です。だからこそ、「親のためを思って手伝ってくれている」という気持ちが伝わります。

お墓に関する情報を収集して親に伝える

たとえば、夏休みや年末年始に実家に帰省した際に「お墓をどうするか悩んでいるんだよね」と親に言われたとき「お父さんとお母さんの好きにしていいよ」と言ってしまうと、親からすれば「突き放された」と感じてしまうでしょう。

そうではなく、「ちょっと僕も調べてみようか」と言ってみたり、実際に調べてみて「お墓を移すこともできるらしいよ」などと情報提供をしたりすれば、「親身になって考えてくれているんだ」と親も喜びますし、きょうだいにしても「一生懸命やってくれている」との印象を持つでしょう。

モメない人はこっち！

自分も積極的に深く関与する

親が認知症になったとき

モメない人はどっち?

大事な財産を守ることを優先して考える

介護の分担を優先に考える

親が認知症になると遺言書でモメる

親が認知症になってしまうと、契約行為ができなくなり、相続対策がまったくできなくなってしまうことはすでに紹介しました（１０４ページ）。成年後見制度は使い勝手が悪いため、認知症になる前に民事信託（家族信託）などを利用しておくことが、将来のもめごとを回避することにつながります。では、対策を講じないまま、親が認知症になった場合には、どのような問題が生じやすいのでしょうか。

起こりがちなのは遺言書にまつわるトラブルです。認知症の親が亡くなり、相続が発生したときに遺言書が出てくると、それをいつ書いたのかが問題になります。認知症になる前に書いたものであれば有効ですが、認知症になってから書いた遺言書は無効です。ややこしいのは、認知症にいつなったかを証明するのが難しいことです。

認知症を診断する「長谷川式認知症スケール」

認知症かどうかを診断する方法として、「長谷川式認知症スケール」が知られています。長谷川式認知症スケールは、いくつかの質問に答えることで、認知機能障害の有無を調べるものです。１９７４年に聖マリアンナ医科大学・神経精神科教授だった長谷川和夫氏らによって開発されました。現在、認知症の診断において、信頼性の高い方法として、日本国内の多くの医療機関で使用されています。

相続人の中に「遺言書は認知症になってから書いたものではないか」と疑念を持つ人がいれば、遺言無効訴訟に発展する可能性があります。遺言が法律的に無効であることを裁判所に確認してもらうための裁判手続きです。

公正証書遺言でも安心はできない

公正証書で遺言書を作成すると、いつ作成したのか日付を証明してもらうことはできます。認知症になった時期が明確であれば、それ以前に書かれた遺言書なのかどうかははっきりします。
ただし、公正証書遺言であっても、作成した時点で認知症であったかどうかを判断し、遺言能力を保証することまではしてくれません。公証人は、遺言書が形式を満たしているかどうかは確認してくれますが、認知症かどうかまでは保証してくれないのです。

両親が認知症になった場合、このように大事な財産を守るために遺言の有効性を気にすることも確かに大事でしょう。しかし、もっと大事なのは介護の分担です。お金の勘定よりもご両親やきょうだいの心の感情を大事にした方がいずれは円満に解決していくように私は思います。

モメない人はこっち！

介護の分担を優先に考える

モメない人はどっち?

父(母)が亡くなったとき(一次相続)

節税のため一次相続でも子どもが財産を取得したほうがよいと考える

母の生活が第一だから、節税は二の次でいいと考える

母親に金銭的な不安を感じさせないことが大事

相続では先に父親が亡くなり、後に母親が亡くなるケースが大半です。一般的に父親のほうが年上のことが多く、女性のほうが平均寿命は長いからです。最初の相続を一次相続、2回目の相続を二次相続と呼びますが、私どもの統計では、一次相続から二次相続までの期間は平均15年です。

母親がひとりで暮らす期間は意外に長いのです。たとえば、父親が80歳で亡くなり、その時点で母親が75歳であったとすれば、90歳まで長生きする可能性が高いので、母親にしてみればその間の生活費をどうするかなどが不安になります。

父親の財産を母親が大方相続すれば生活費の心配は減りますが、一次相続と二次相続を合わせた相続税の額は高くなってしまうことがあります。それを避けるため、一次相続の時点で、ある程度の資産を子どもに相続させるケースがあります。そのほうが節税につながるといわれるからです。

しかし、母親の相続分が減ってしまうと、母親に金銭的な不安が残ってしまいます。子どもに相続させて母親の生活費が足りない場合には、「子どもから渡せ

一次相続から二次相続までは意外に長い

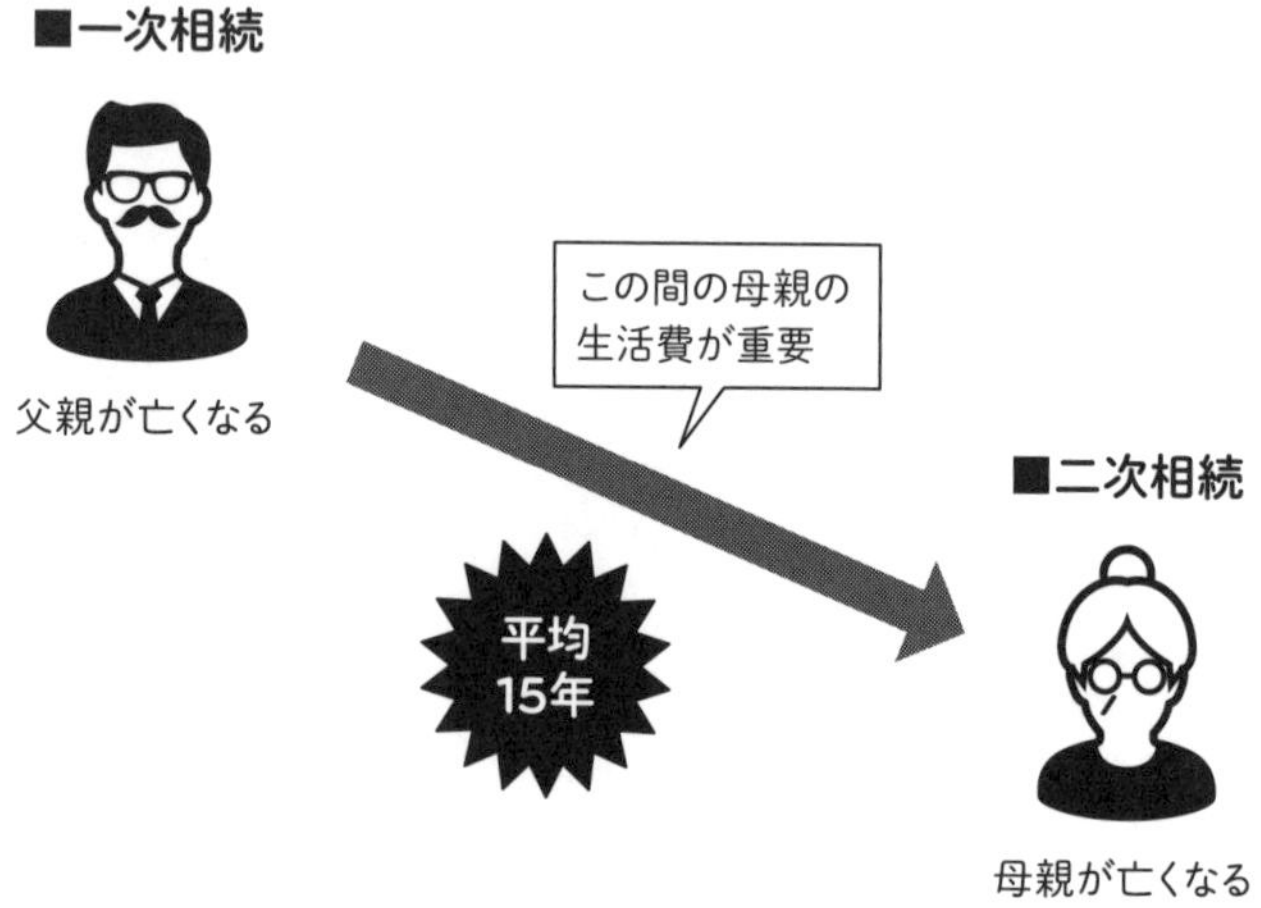

ばいい」と考える人もいます。

いろんな価値観があっていいですが、この考え方に私は賛成できません。生活費であれば、子どもから親に渡しても贈与にはなりませんが、母親の気持ちはどうでしょうか。子どもから生活費をもらう立場になると、親が子どもに気を使うことになります。結果、老いも早くなってしまうでしょう。

母親が自分の好きにできるお金を残し、ひとり暮らしの期間を活動的に暮らしたほうが認知症の予防にもなります。

一次相続は母親がすべて相続することを前提にする

また、一次相続で母親がすべての資産を

受け取ることになれば、子どもたちも納得しやすいのですが、子どもが相続するとなれば、どう分けるかきょうだい間でモメることにもつながります。

一次相続と二次相続の相続税の額をトータルでシミュレーションすることは大事ですが、二次相続まで意識しすぎるのはよくありません。いずれ二次相続で子どもが財産を受け取るわけですから、一次相続では母親にすべて相続してもらうことを基本にしたほうが円満になることも多いのです。母親から「私はそんなにいらないからこの分は子どもたちで分けなさい」と言われるくらいがちょうどいいように感じます。

モメない人はこっち！

1 母の生活が第一だから、節税は二の次でいいと考える

モメない人はどっち？

親の財産を把握するとき

マイホームくらいで、
預金は少なかった

マイホームの他に
預金が多くあった

財産について話してもらえる環境を整える

親子であっても、親の資産がどれくらいあるのか、正確に把握するのは難しいものです。面と向かって「資産はどれくらいあるの？」などと聞けば、「俺の財産を狙っているのか」と親子関係が悪くなってしまうでしょう。

とはいえ、どの程度の資産があるのかが把握できなければ対策を講じることはできません。財産のことに限らず、日ごろから親の相談に乗ることを心がけていれば、「そろそろ財産の整理をしておきたいんだけど」などと資産について相談されることもあります。財産について、自然と話をしてもらえる環境をつくることが重要です。

実際に資産の整理をしてみたとき、マイホーム以外に、ある程度の金融資産があれば、遺産分割はしやすいといえます。反対にマイホームが主な資産で金融資産が少ない場合には分割が難しいため、モメやすくなります。

金融資産が少ないと父親が亡くなった後に母親の生活が脅かされることにもな

ります。母親は父親が亡くなった後も自宅に住み続けるため、マイホームを母親が相続するのが一般的です。しかし、金融資産が多くない場合は、母親がマイホームを相続してしまうと、金融資産の相続がその分できなくなる可能性が増し、その後の生活費に不安が募ります。

自宅を「所有権」と「居住権」に分ける新制度スタート

そこで「配偶者居住権」が創設され、2020年4月1日以降に発生した相続から認められました。自宅の権利を「所有権」と「居住権」に分け、母親が居住権、子どもが所有権を相続することで、母親が金融資産を相続しやすくするものです。

たとえば、父親が亡くなり、2000万円のマイホームと3000万円の預金が相続財産だったとします。母親と子どもひとりが相続人で法定相続分ずつ分けると、2500万円ずつの資産を相続することになります。このケースで母親がマイホームを相続すると、金融資産は500万円受け取れるだけです。これでは平均15年間（123ページ参照）の生活費として心配になるでしょう。

配偶者居住権のイメージ

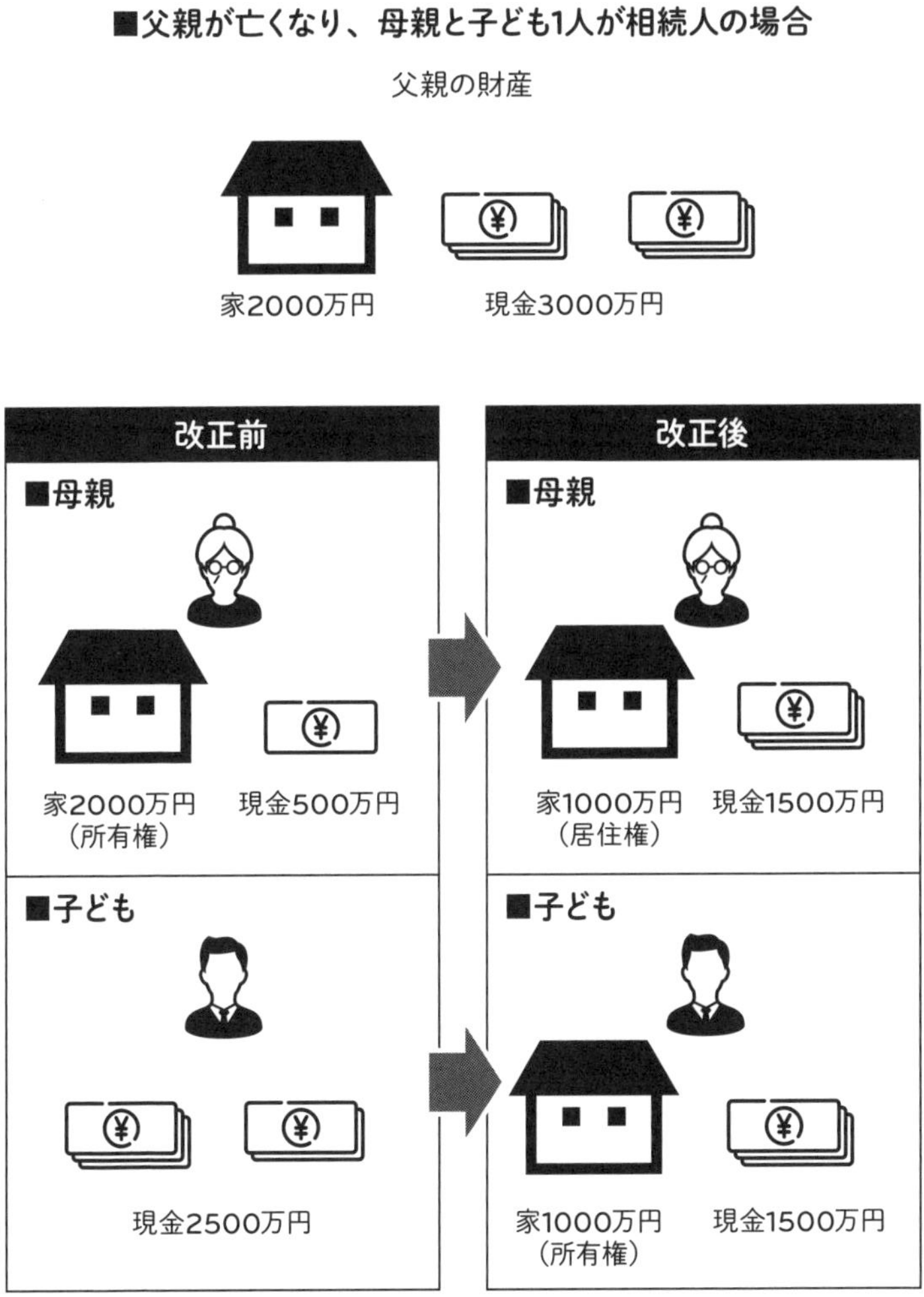
■父親が亡くなり、母親と子ども1人が相続人の場合
父親の財産
家2000万円
現金3000万円
改正前
■母親
家2000万円
（所有権）
現金500万円
■子ども
現金2500万円
改正後
■母親
家1000万円
（居住権）
現金1500万円
■子ども
家1000万円
（所有権）
現金1500万円

配偶者居住権を利用して、マイホームの権利を居住権1000万円、所有権1000万円に分割するとどうでしょうか。母親は居住権1000万円と金融資産1500万円の相続が可能になります。

これにより、母親は亡くなるまで実家に住み続けることができますし、一次相続で子どもは所有権を相続できるため、節税が可能になるのです。

しかし、制度が複雑であったり、配偶者と子の関係もそこまで仲違いしていないことが多く、利用者は少ない状況です。また、この制度を利用してもしこりは残ってしまう可能性が高いです。一次相続において配偶者がすべてを取得する前提で考えていないため、配偶者の感情に寄り添っていないケースが多いからです。

モメないためには「マイホームの他に預金が多くある」に越したことはありません。

モメない人はこっち！

マイホームの他に預金が多くあった

モメない人はどっち？

遺産分割協議のとき
その1

最初から弁護士に立ち会いをお願いする

弁護士に頼むのは実際にモメて収拾がつかなくなったらでいいと考える

モメたケースでも必ずしも弁護士は必要ない

円満に遺産分割協議を進めるためには、「最初から弁護士に立ち会いをお願いする」と考えるのと、「弁護士に頼むのは実際にモメて収拾がつかなくなったらでいい」と考えるのでは、どちらがいいでしょうか。

数多くの相続に関わってきた立場からすると、最初から弁護士に依頼するのはやめたほうがいいでしょう。また、実際にモメた場合でも、必ずしも弁護士に依頼するのが効果的とは限りません。弁護士に依頼するのは、最終手段として慎重に考えたほうがいいでしょう。

一方でもし税金の計算に不安があれば、税理士には最初から関わってもらい、公平な立場でアドバイスをもらうのがいいでしょう。遺産分割をする際には、実際に相続税がどれくらいかかるのか、税金の計算なども必要になります。

親と同居していた長男などが窓口になって税理士に依頼するのが一般的ですが、

税理士の反応が遅いと、他の相続人が「連絡を遅らせて、検討する時間をなくそうとしているのではないか」と疑心暗鬼になります。

自分が不利になってしまうのではないかと考えて、弁護士に相談してしまうこともあります。そこまでいってしまうと、モメなくていいケースでもモメてしまいます。

遺産分割の話し合いの交渉は弁護士にしかできない

一方でもめごとが発生してしまったときに、相続人の言い分を聞いて遺産分割の交渉ができるのは弁護士だけです。税理士や司法書士など他の専門家が行うと法律違反になります。また、ひとりの弁護士が複数の相続人の代理人になることもできません。

遺産分割の話し合いをしている間は、意見がぶつかりあったとしても「もめごと」ではありません。相続におけるもめごとは、相続人の中の誰かひとりが弁護士を雇った瞬間に始まります。

ひとりが弁護士に依頼すると、他の相続人も雇わざるをえなくなり、本当の意味でのもめごとになるのです。その後は弁護士同士の話し合いになります。そうなると家族間の仲はとてもギスギスし、遺産分割を終えても後味の悪さが残ります。ですから、相続人同士で分割協議ができる間は、本人たちで話し合いをして解決策を探ったほうがいいのです。

モメない人はこっち！

弁護士に頼むのは実際にモメて収拾がつかなくなったらでいいと考える

モメない人はどっち？

遺産分割協議のとき

その2

配偶者に相談しないで決める

配偶者にもそのつど相談して決める

資産分割協議に配偶者は参加しないほうがいい

相続が発生したとき、相続人ではない配偶者に相談したほうがいいか、これは悩ましい問題です。結論としては、遺産分割協議に相続人の配偶者が加わるとモメやすくなりますから、配偶者は参加しないほうがいいでしょう。他の相続人が「姻族なのに介入してきて、自分に有利にしようとしているのではないか」と疑心暗鬼になってしまうので、慎重に考えたほうがいいのです。

ただし、農家などで長男夫婦が同居しており、親と長男夫婦の生活が一体化している場合には、配偶者にも相続が大きく関わるため、参加してもよいでしょう。たとえば、自宅の土地の相続税評価額を一定面積まで8割減にできる小規模宅地等の特例があります。相続人が同居しているなど一定の条件を満たす場合に利用できますが、相続税の申告まで自宅に住み続けていることも条件となります。

この場合、同居している長男の配偶者の生活にも影響します。このように直接影響がある場合に限っては配偶者が参加してもかまいませんが、そうではない場合には、できるだけ参加しないほうがモメずにすみます。

なかには、「遺産分割の経過についても配偶者には一切話さないほうがいい」とアドバイスする専門家もいますが、そうは思いません。分割協議はきょうだいなどの相続人のみで極力行い、その内容は家に帰って配偶者に報告するのがいいでしょう。

家や土地を売却するならいつがベストか

相続した家や土地を売却する場合、相続後にすぐに売却するのと、相続からしばらく経過してから売却するのではどちらが有利かを考えてみましょう。

答えを先に紹介すると、相続後すぐに売却したほうが相続後に困りません。

一つ目の理由は、不動産を売却した際の売却益にかかる譲渡所得税の優遇があるからです。相続税の申告期限から3年以内に相続財産を売却した場合は、相続時に支払った相続税の金額を売却した資産の取得費に加算することができます。取得費が増えた分、譲渡所得税は軽減されます。

二つ目の理由は、後で嫌な思いをする可能性があるからです。相続税の支払いのために土地を手放した場合は、周囲から批判されることはないでしょう。しかし、相続から5年が経過した時点で売却したらどうでしょうか。「事業に失敗したんじゃないか」「先祖に申し訳ないだろう」「親の資産でぜいたくな暮らしをしたからではないか」——と無責任なことを言われ、嫌な思いをする可能性が高くなります。

ですから、いずれ売却することが決まっているなら、相続後すぐに売却したほうがいいのです。

モメない人はこっち！

配偶者に相談しないで決める

モメない人はどっち？

遺産分割協議のとき　その3

できるかぎり
最短スピードで片づけよう

大切なことだから、
直接会ってじっくり
時間をかけて話していこう

申告を忘れると無申告加算税がかかる

遺産分割協議は、相続人が集まって顔を見ながら、じっくり話し合ったほうが後でモメるのを防ぐことにつながります。海外赴任をしている人がいたとしても、いったん帰国して参加するのがいいでしょう。

短時間で終わらせようとすると、相続人それぞれの気持ちの整理がつきませんし、相続財産を見落とす可能性があります。申告後に新たな財産が見つかると、修正申告をして追加の相続税を支払わなくてはいけません。

また、税務調査が行われ、税務署が先に申告漏れに気づくと、過少申告加算税を徴収されます。追加納付した税額の10％です。追加納付の金額が期限内申告税額と50万円のいずれか多い金額を超えている場合は、超えた分に対しては15％が課されます。

手間がかかる上に、負担も重くなりますから、申告漏れのないようにじっくり話し合って遺産分割をするのがいいでしょう。

相続税の申告にまつわるペナルティーには、無申告加算税、延滞税、重加算税などもあります。

無申告加算税は申告期限までに申告・納税を行わなかった場合に課されます。期限後に自主的に申告した場合には、5%が無申告加算税となります。また、税務署から税務調査の通知があってから自主的に申告した場合には納税額50万円までの部分に10%、50万円を超える部分には15%が課されます。

さらに、税務調査の指摘を受けてから申告をした場合には、納税額50万円までの部分に15%、50万円を超える部分には20%が課されます。

申告期限後に相続税を納付した場合には、延滞税がかかります。相続財産を意図的に隠した場合などには、重加算税がかかります。

慌てずに間違いのない申告をすることが重要です。

納税の方法には3種類ある

ここで納税方法について紹介しておきましょう。相続税を納める方法には3種類あります。①現金、②延納、③物納です。

延納は、分割して納付する方法です。相続税は申告期限までに現金で納付することが原則になっていますので、延納するには利子の支払いが必要になります。一括で納付が困難な場合、延納は便利な方法に思えるかもしれませんが、後で困ったことになる可能性があります。

最近は長寿になり、親が90代、子どもが60代で相続が発生するケースが増えてきました。この場合、延納を利用すると70代になっても親の相続税を払い続けていることになりかねません。

売却できる資産があるのであれば、すみやかに売却して相続税を支払ったほうが安心です。こうした理由もあって、実際に延納を利用している人は多くありません。税理士法人レガシィの独自調査では延納を利用しているのは全体の１％ほどです。

延納は先送りに他なりません。できるだけ避けられないか考えたいところです。

物納は相続した現金ではない財産で納付する方法です。実際には買い手のつかない土地や売れたとしても路線価以下でしか売れない場合、物納することがあります。

物納のメリットは、相続税評価額で国が土地を収納してくれるので、売り急いで買い叩かれるようなことがありません。また、土地を売却して利益がでれば譲渡所得税がかかりますが、物納ではかからないのもメリットです。

外に敵をつくってもめごとを避ける方法も

遺産分割でモメそうになったとき、外に敵をつくって相続人同士が団結する方法もあります。これは世界中の外交戦略でも使われている方法です。

では、誰を敵にするか。あくまで便宜上ですが、税務署がいいでしょう。「税務署（敵に）に支払う税金を減らすためにはどうすればいいか」を相続人が協力して話し合うのです。結果、モメにくくなります。

モメてからでは、損をすることがわかっていても譲れなくなってしまいます。モメる前に、相続人がまとまるきっかけをつくるといいでしょう。

遺産分割の話し合いをスムーズに進めるコツは2つあります。

遺産分割の話し合いのコツ

１　相続人に「何が欲しいか」を聞く

２　長男が土地を相続する代わりに、次男や長女にお金を渡す

一つ目は「何が欲しいか」を聞くことです。相続人はそれぞれ希望が異なります。お金を欲しい人がいれば、土地が欲しい人もいます。各相続人が何を欲しいのか、それを把握することが遺産分割の話し合いをスムーズに進めるコツとなります。

二つ目は自宅以外に分ける財産がほとんどない場合のコツです。このケースでは長男が土地を相続する代わりに、次男や長女にお金を渡すことで遺産分割がスムーズに進む場合が多くなります。次男や長女もお金のほうが納得しやすいからです。

最近は土地を欲しいと考える人はあまりいません。売却して現金化しようと考えても、どれくらいで売れるか判断が難しいですし、売れたとしても約2割の税金がかかりますので、手元には8割しか残りません。保有している間は、固定資産税もかかります。

長男が自宅の土地を相続してわずらわしさを引き受ける。その代わりに、次男や長女には長男からお金を渡す。この分割方法を「代償分割」と呼びます。代償分割を活用することが遺産分割をスムーズに進めるコツなのです。

代償分割のリスクとは

ただし、代償分割を利用する上では注意が必要なこともあります。代償分割と現物分割を比べると、後で困らないのは現物分割だからです。

たとえば、相続財産のほとんどが自宅の土地で相続人が長男と次男の場合で、土地を2分割して次男に渡せば、その土地をどう利用しようと次男の自由です。長男も自分の相続した土地を自由に利用できます。

しかし、代償分割では長男が土地をすべて相続して、代わりに現金を次男に渡します。土地にかかる税金や運用リスクをすべて長男が引き受けることになります。

長男に代償金を支払う余裕があればいいのですが、なければ土地を活用して工面しなければなりません。土地の一部に賃貸マンションを建てて、家賃収入を得るなどの方法もありますが、簡単ではありません。

多くの場合、借金をして賃貸マンションを建てることになりますし、空室が多ければローンの返済さえできなくなってしまう可能性があります。

代償分割にはこうしたリスクを伴いますので、利用する場合には相続後のことも十分に考えて選択する必要があります。

モメない人はこっち!

大切なことだから、直接会ってじっくり時間をかけて話していこう

コラム

相続の手伝いを顧問税理士に依頼したがスケジュールがなかなか出てこないとき

父親や母親が亡くなったばかりのときは精神的にもつらい日々が続き、相続税の申告について考える余裕はないかもしれません。しかし、四十九日が過ぎたあたりになれば、徐々に落ち着いてくるでしょうから、遺産分割協議をスタートします。

その際には、専門家のアドバイスが必要になりますから、相続人の感情に寄り添ってくれる税理士にサポートを受けると安心です。

税理士を選ぶ際には、その後にどんな段取りで手続きを進めればいいか、スケジュールを提案してくれる人に依頼することが重要です。

相続税の申告・納税は相続の発生から10か月以内に行わなければなりません。この期限を過ぎると、無申告加算税などのペナルティーを課される可能性があります。また、期限内に遺産分割を終え申告・納税をすませないと、配偶者の税額軽減、小規模宅地等の特例など、相続税を減らすための特例が利用できなくなります。

遺産分割が終わっていない場合、実務上は未分割のまま期限内に申告し、その際に「申告期限後3年以内の分割見込書」を併せて提出しておくと、期限後でも特例の適用が受けられます。

申告から3年以内に利用できる特例も意識する

また、申告期限から3年以内に使える特例が多く存在します。たとえば、相続した不動産などを売却すると、譲渡所得として税金がかかりますが、相続税として納付した金額の一定金額を取得費に加算して税金を安くすることができます。

申告が終わっても相続は終わりではありません。その後のことも考慮して、案内してくれる税理士を選ぶのがいいでしょう。

経営者などであれば、会社に顧問税理士がいるでしょう。相続が発生すると、身近な顧問税理士に相続税の申告を依頼しがちですが、その税理士が相続に詳しいとは限りません。

相続の進め方の工夫！　相続人全員にスケジュールを説明しよう

相続発生から1か月目	通夜・葬儀・香典返し
2か月目	四十九日
3か月目	**税理士が遺族に挨拶とスケジュールの説明**
4か月目〜6か月目	相続財産の確定
7か月目〜9か月目	遺産分割協議
10か月目	相続税申告・納税

今後のスケジュールの説明がないと不審に思う

事例1：不審に感じた弟が弁護士に相談
事例2：しびれを切らした妹が弁護士に相談
事例3：分割の駆け引きをしている弟が文句を言ってきて、もめごと拡大

結論：早めに税理士を決め、その税理士に早めに相続人全員に挨拶してもらい、スケジュールをしっかり説明してもらうと、もめる率は大幅に減少

顧問税理士が相続に詳しくない場合、提携している専門家の中から相続に詳しい税理士を紹介してくれる税理士もいます。しかし、顧問先との付き合いを考えて自ら相続税の申告も受けてしまうことが少なくありません。

税理士にも専門分野がありますから、法人税には詳しくても、相続税に詳しくない場合、知識不足のため税金の払いすぎになることもあります。

一次相続で詳しくない専門家に依頼して失敗したため、二次相続では失敗しないように私どもに相談に来られるお客様も多くいらっしゃいます。一次相続でもいかに経験豊富な税理士に任せるかが重要です。

第3章

60代以上編

子どもたちの“争族”を防ぐために
できることをしっかりやっておきましょう。

モメない人はどっち？

孫ができたとき

贈り物を惜しまない

贈り物をどうするか冷静に考える

子どものいない家庭には配慮が必要

60代になると孫ができる人も増えるでしょう。そのとき、どうお祝いをするかで、将来、自分が亡くなったとき、子どもたちが相続でモメるかどうかが決まります。

子どもたちがモメないようにするには、孫のお祝いをするにしてもきょうだい間で差をつけないことが大事です。とくに、子どもがいない家庭がある場合に、配慮せずにお祝いをしてしまうと、その家庭は差をつけられた気持ちがして、後にモメやすくなります。

子どもがいない家庭には、結婚記念日にお祝いをするなど、別のイベントでお祝いをしてバランスをとるといいでしょう。

こうした配慮は父親よりも母親のほうが気づきやすい傾向にあります。孫のお祝いをするときには、夫婦でよく相談してからにすることをお勧めします。

子や孫への教育資金贈与は1500万円まで非課税

孫へ教育資金の贈与を考えている人もいるのではないでしょうか。子や孫に教育資金を贈与する場合、子・孫1人につき1500万円まで非課税になる特例があります。期間限定の特例でしたが2023年度の税制改正でも延長され、2026年3月末までの贈与が対象となっています。

この特例を利用すると、祖父母や父母から30歳未満の子や孫に教育資金を贈与した場合、1人当たり1500万円まで贈与税はかかりません。たとえば、孫が4人いれば、「1500万円×4人」で6000万円まで非課税で贈与が可能になるのです。

実際に利用するには、信託銀行などに専用の口座をつくり、そこに贈与金額を一括で拠出します。贈与を受けた人は教育資金として使ったことがわかる領収書を金融機関に提出すると、その金額が教育資金の贈与額となります。

ただし、2023年度の税制改正で、2023年4月1日以後の教育資金贈与について使いきれなかった残高に対して課税が強化されました。

教育資金を使っている途中で贈与した人（祖父母など）が亡くなった場合、贈与した人の相続税の課税価格の合計が5億円を超えるときは、教育資金として贈与された額のうち、未使用の額に相続税が課税されます。

また、贈与した人が生存している場合には、贈与を受けた人が30歳に達した時点で未使用の額について一般税率による贈与税が課税されます。

モメない人はこっち！
贈り物をどうするか冷静に考える

モメない人はどっち？

子どもに事業を継いでもらいたいとき

継いでもらう子どもを最優先で配慮する

継ぐ子どもも継がない子どもも公平に扱う

後継者以外の子どもの気持ちは？

事業を営んでいる場合には、子どもに継いでもらいたいと考えるのが親心です。しかし、事業を引き継ぐのは大変なことです。そのため、後継者ばかりに気を配り、他の子どもへの配慮がおろそかになりがちです。

たとえば、兄、妹の2人の子どもがいる場合に、長男が後継者として父親から経営について学んでいる姿を見ていると妹は「なぜ、兄ばかり……」と不満を抱きます。事業を継がない人には、贈与をするなどしてバランスをとるのが有効です。

この場合も父親よりも母親のほうが気づきやすいので、母親目線が大切になります。母親が事業に関わっていないとしても、子どもたちにどう配慮するかは夫婦で話し合ったほうがいいでしょう。

実際に事業を引き継ぐ場合には、会社の株式（自社株）を相続することになります。上場している株式の場合は、証券取引所を通じて売買されていますから、時価をベースに相続税評価額を計算できます。しかし、非上場の会社の株式の場合には、時価がありません。そこで評価する方法が主に4つあります。

①類似業種比準方式
②類似業種比準方式と純資産価額方式の併用
③純資産価額方式
④配当還元方式

どの方式を使うかは、非上場の株式を取得する人が同族株主かどうかで決まります。詳しい説明は省きますが、父親がオーナーであれば、通常は①〜③の方法で評価します。①〜③のどの方式を利用するかは、会社が財産評価基本通達で決められている大会社、中会社、小会社のどれに区分されるかによって決まります。

事業を営んでいる以上、自社株を売却することは容易にはできません。一方で自社株の評価額が高額になることも少なくありません。そのため、自社株対策を怠ると多額の相続税がかかってしまいます。

オーナー経営者の場合、個人名義の財産は自宅のみで、他の財産のほとんどは会社名義のような場合も多いでしょう。その場合、自社株対策をしていないと、多額の相続税が課せられても納税資金がないという状態になってしまい会社の経営にも影響が出てしまいます。

モメない人はこっち！

継ぐ子どもも継がない子どもも公平に扱う

モメないひとはどっち？

再婚したとき

新しい家族に集中して過去は断ち切ろう

前の子どもにも配慮しておこう

前妻の子どもとのコミュニケーションが大事

60代以降で再婚する場合、前妻の子どもとのコミュニケーションが特に大事になります。多くの場合子どもたちはすでに独立していて、再婚相手と一緒に暮らすことはないでしょうから、つい疎遠になりがちです。

前妻の子どもたちからすれば、父親が後妻に肩入れしてしまい、自分たちのことなど忘れてしまったと感じます。財産もすべて奪われてしまうのではないかと考えて、「遺言を書いてくれ」と迫ることもあるでしょう。

だからこそ、子どもたちの心配が募る前に遺言書を書いて、親の意思をしっかりと示しておくのがいいと思います。再婚した場合の相続人は配偶者と前妻の子どもです。後妻との間に子どもが生まれたときには、その子どもも相続人になりますが、後妻の連れ子は相続人ではありません。後妻の連れ子にも相続させたい場合には、養子縁組することで相続人にできます。

こんな事例がありました。先妻を亡くした後、再婚していたBさんが亡くなりました。相続人は長男、次男、長女。そして後妻とBさんの養子となっている後妻の長女の5人です。

前妻の子どもたちにしてみれば、「お母さんがかわいそう」との気持ちになりがちです。実際に前妻の長女の口からは、そうした言葉がしばしば出てきました。おそらく「おかあさんはあれだけ苦労したのに、いきなり出てきた後妻に半分の相続権があるなんて、冗談じゃない」との気持ちだったのでしょう。

その気持ちはわかりますが、母親が亡くなったことを変えることはできません。であれば、「変えられること」に目を向けてプラス思考で考えることも大事です。妻を亡くした父親がひとりのままでいるべきというのは、かわいそうです。

プラス思考で後妻を見れば、晩年の父親の面倒をよく見てくれたとの感謝の気持ちが生まれるかもしれません。

このケースの場合、法定相続分をベースにすると、後妻が2分の1、前妻の子どもと後妻の子どもの計4人が残り2分の1を等分することになります。

ここで前妻の子どもからは「婚姻期間は私たちのお母さんのほうが長いのだから後妻はもっと少なくていいはず」との声が出てくることもあります。

前妻の子がいる場合の事例

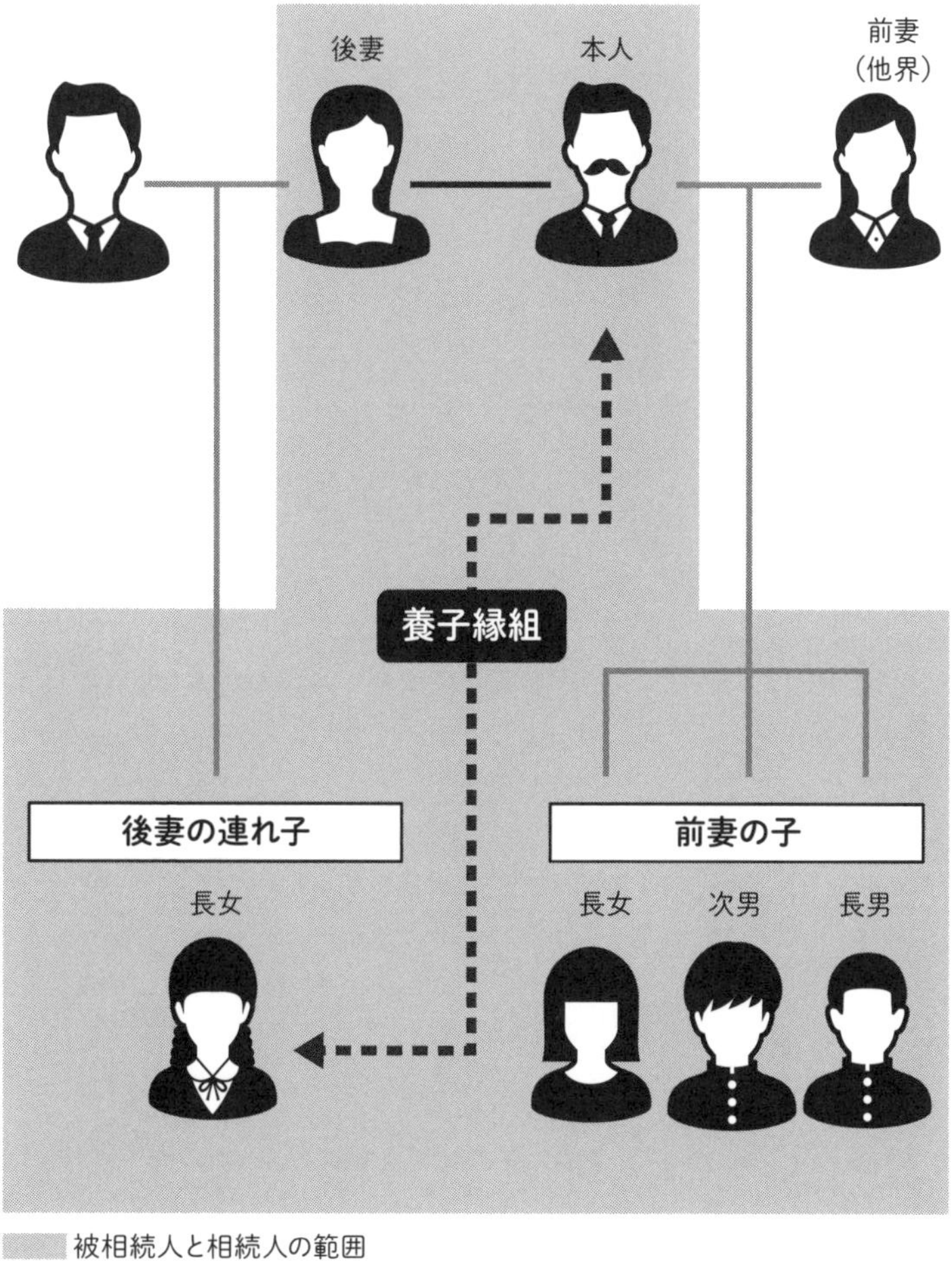

前妻の子と後妻の関係がうまくいく秘訣

一方で、後妻と前妻の子どもが仲良くしているケースも多く、「母親が違うのにずいぶん仲がいいんだな」と驚くほどです。ドラマでは後妻と前妻の子どもがかなり争っている状況が描かれることがありますが、それはむしろ少数派です。

相続でモメないためには、やはりコミュニケーションが重要なのです。実は、前妻の子どもと後妻の関係は、後妻次第です。後妻のほうから働きかけをすれば、前妻の子どもといい関係が築けます。たとえば、再婚後は定例行事を頻繁に開催して、前妻の子どもたちと会う機会を増やすのも有効です。とくに重要なのは、前妻の命日、クリスマス、正月、誕生日です。

前妻の子どもと後妻の子どもは特別受益でモメやすい

前妻の子どもと後妻の子どもが相続でモメるパターンとして特別受益が原因になるケースがあります。特別受益とは、一部の相続人が高額な贈与など、被相続人から受け取った特別な利益のことです。これは、民法上のテーマで税務上にはない考え方です。

たとえば、ひとりだけ留学費用を負担してもらっていた場合には、金額が大きいだけに特別受益になる可能性があります。前妻の子ども同士であれば、それほど問題にならないかもしれませんが、前妻の子どもと後妻の子どもがいる場合には、起こりやすいトラブルです。

仮に留学費用が特別受益と認められた場合には、その費用は過去に贈与を受けたものとして、相続財産に上乗せして計算します。贈与を受けた時期も問題になります。２０１９年の民法の改正があり、遺留分の計算上は10年以内に限定することになりました。10年以上前のものまで対象とするときりがないので、限度を設けることにしたのです。

モメない人はこっち！

前の子どもにも配慮しておこう

モメない人はどっち？

遺言を書いてみたいと思ったとき

遺言を子どもと一緒に考える

遺言を夫婦ふたりだけで決める

遺言書にはおもに3つの種類がある

遺言を書きたいと考えたとき、子どもに相談してからにしたほうがよいか迷う人は多いのですが、子どもに相談する必要はありません。夫婦ふたりで決めるのがいいでしょう。また、遺言を書いたことを子どもに伝える必要もありません。遺言を書いたことを子どもに伝えてしまったために、「見せてほしい」といわれ、見せざるを得なくなった結果、書き換えを迫られることもあります。

子どもに相談する必要はありませんが、遺言が効力を発揮するには、形式を満たす必要があります。事前に専門家に相談したほうがいいでしょう。

ここで遺言の種類について整理しておきましょう。一般的に利用される遺言には「自筆証書遺言」「公正証書遺言」「秘密証書遺言」の3つがあります。

●自筆証書遺言

もっとも多く利用されるのが自筆証書遺言です。手書きですから、紙とペンと印鑑があればどこでも簡単に作成できるメリットがあります。また、証人が不要なのでひとりで作成できますし、遺言したことやその内容を秘密にしておくことが可能です。以前は財産目録を含め、すべて自筆する必要があったので高齢になると難しい面もありましたが、いまは、財産目録はパソコンなどで作成が可能になっています。

加えて法務局による保管制度も創設されています。自筆証書遺言は、紛失したり、相続人の利害関係者によって破棄、隠匿、改ざん等が行われる可能性がありましたが、保管制度を利用すれば、法務局で管理・保管されるので安心です。保管制度を利用すると、遺言が必要な形式を満たしているかどうかをチェックしてもらうこともできます。自分で保管する場合には、形式を満たさず無効になる恐れがありますので、専門家に相談した上で作成したほうがいいでしょう。

相続発生後に自筆証書遺言を開封するには原則家庭裁判所の「検認」が必要ですが、保管制度を利用した場合は検認が不要となります。

●公正証書遺言

公正証書遺言は「公証役場」へ出向き「公証人」に作成してもらいます。公証人は法務大臣に任命された公務員で、作成された遺言は「公文書」として扱われます。公正証書遺言は、3種類の遺言の中でもっとも安心で確実な遺言といえます。また、公証人が遺言の内容を聞き取り、作成してくれるので自分で書く手間がかかりません。

遺言書の要件は公証人が確認してくれるので、自筆証書遺言のように不備により無効となることもありません。ただし、公証役場の手数料がかかります。また、遺言作成時に成人2名以上の証人の立ち会いが必要です。

遺言書を開封する際の家庭裁判所の「検認」は必要ありません。

●秘密証書遺言

遺言の内容を秘密にして作成できる遺言書です。自筆証書遺言の手軽さと公正証書遺言の安全・確実性を併せもっています。自筆する必要はなく、専門家に代筆してもらったり、パソコンで作成したものでも構いません。遺言書を作成したら、署名・捺印して公証役場に持参します。

証人2人が立ち会い、遺言書の存在のみを証明してもらいます。遺言の要件を満たさず無効となる場合がありますし、作成費用がかかるので、利用されるのは

公証役場の遺言作成手数料(相続人1人当たり)

目的財産の価額	手数料の額
100万円まで	5000円
200万円まで	7000円
500万円まで	1万1000円
1000万円まで	1万7000円
3000万円まで	2万3000円
5000万円まで	2万9000円
1億円まで	4万3000円
1億円を超える部分	
1億円を超え3億円まで	4万3000円に超過額 5000万円までごとに1万3000円加算
3億円を超え10億円まで	9万5000円に超過額 5000万円までごとに1万1000円加算
10億円を超える部分	24万9000円に超過額 5000万円までごとに8000円加算

出典：日本公証人連合会

少ないです。しかし公証人含め内容を誰にも秘密にできる利点があるので一考に値します。遺言書を開封する際には自筆証書遺言と同様に家庭裁判所の「検認」が必要です。

とくに一次相続でモメた家族は、二次相続で遺言書を書くことをお勧めします。一次相続では母親がいるので、子どもは母親に配慮して気持ちを抑えていますが、二次相続では遠慮がなくなるので、さらにモメやすくなります。

モメない人はこっち！

遺言を夫婦ふたりだけで決める

モメない人はどっち？

遺言書を書いたとき

「どう分けるか」が大切と考える

「なぜそのように分けたか」が大切と考える

遺言書を書く際には付言事項を活用する

特定の相続人に財産を多めに渡したいと考えたときに、遺言書を書くケースが多くなります。遺言書があれば遺産分割協議は必要ありませんので、もめごとを防ぐ効果があります。

ただし、財産の配分を少なくされた相続人には気持ちにしこりが残ります。自分は親に配慮してもらえなかったと感じてしまうからです。遺言書で財産に差をつけたときには、その理由を父親の気持ちとして、付言事項に記しておくといいでしょう。

遺言書の付言事項は自由に内容を記載できます。

たとえば、生活がルーズで財産を渡しても浪費してしまうだろうと思われる人には、「少なめに渡そう」と考えるかもしれません。それを書くことはできませんが、その人にもいい面はあるはずです。それを記すのです。たとえば、「病気のときにやさしい言葉をかけてくれてありがとう」などと書かれていれば、財産を少なくされた相続人にも父親の気持ちが伝わります。
遺言は財産の配分を残すものですが、その背景にある想いを伝えることこそ、円満相続の秘訣といえるかもしれません。付言事項の文字数に制約はありません。好きなだけ書くことができます。

フィクションの世界ですが、横溝正史の大ヒット推理小説「犬神家の一族」はかなり変わった遺言が出てきて、意外な人に財産をすべて渡す内容が書かれていて、相続人を驚かせます。もし付言事項をしっかり書いて「感情」をしっかり表していたら殺人事件は起きなかったのではないかと思います。

モメない人はこっち！

「なぜそのように分けたか」が大切と考える

モメない人はどっち?

夫や妻と別居しようと思ったとき

子どもとは少し距離をとる

子どもを頼る

子どもとの関係を断つと夫婦仲まで悪くなることも

子どもが独立し、夫婦がそれぞれの生活を重視するときに、別居の選択をする人もいます。そのとき、子どもとも関係を断ってしまう人もいれば、子どもをうまく頼れる人もいます。どちらが将来の相続でモメにくいでしょうか。

昔から「子はかすがい」といいます。別居したとはいえ、夫婦であることには変わりません。子どもとの関係を断ってしまうと夫婦関係まで悪くなってしまう可能性があります。ときには子どもを頼ってフォローしてもらうのがいいでしょう。子どもにしても夫婦仲良くして欲しいと考えています。上手に頼ればサポートしてくれるでしょう。

モメない人はこっち！

子どもを頼る

モメないい人はどっち?

終活を始めるとき

■ 毎月決まった額を口座に振り込んで贈与しようと考える

■ その月ごとに金額を変えて手渡しで贈与しようと考える

毎年定額の贈与は否認される可能性がある

贈与には年間110万円の非課税枠があります。つまり、110万円以内であれば、無税で贈与ができるのです。これを利用して、少しずつ定額を贈与して節税しようと考える人もいます。

このときに気をつけるべきは、名義預金と見なされないようにすること。名義預金とは、親が勝手に子ども名義の預金口座などにお金を振り込むことです。そもそも贈与は、贈与する人と受け取る人の合意があって成り立つものです。子どもが知らないところで振り込んだ場合には、それが子ども名義の口座であっても、親の財産だと判断されます。

また、毎年定額を贈与するのも注意が必要です。たとえば、110万円の贈与を10年間続ければ、1100万円を無税で贈与できると考えるかもしれませんが、税務署は「最初から1100万円を贈与するつもりだったのだろう」と解釈して、1100万円に対して贈与税を課す可能性があります。

よって「毎月決まった額を口座に振り込んで贈与しようと考える」よりも「そ

の月ごとに金額を変えて手渡しで贈与しようと考える」ほうが安心です。手渡しならばそのたびに喜ぶ顔を見ることができます。振り込みではそういきません。

相続時精算課税制度にも「年間110万円の非課税枠」を創設

また、2024年から贈与の仕組みが変わります。贈与への課税方法には「暦年課税」と「相続時精算課税」があります。

暦年課税は1年間に贈与を受けた財産を翌年に申告する方法です。1年ごとに贈与税を清算していきます。相続時精算課税は、生前に贈与をした分を相続が発生した際に相続財産に含めて税金を計算する方法です。

暦年課税には年間110万円の非課税枠があります。一方、相続時精算課税では、合計2500万円まで贈与しても贈与税はかかりません。その代わり、相続発生時に贈与の金額も相続財産に加えて相続税を計算します。

贈与した金額を相続財産に加えても相続税がかからない場合には、無税で贈与ができたことになります。ただ、「相続時精算課税制度」を利用するには届け出が必要で、いったん選択をすると、「暦年課税」に戻すことはできません。

2024年以降の贈与では、相続時精算課税制度に新たに「年間110万円の非課税枠」が加わります。相続時精算課税制度を選択した人への贈与でも、年110万円までなら贈与税も相続税もかからず、贈与税の申告も不要になります。

一方、暦年課税の場合、相続発生前の3年間に贈与された分は、相続財産に加算して相続税を計算することとされていました。2024年以降は、加算する期間が3年から7年に段階的に延長されます。

相続発生前3年間に贈与された金額は、これまで通り全額が相続財産に加算されますが、それ以前の4年間に贈与された分は、その4年間の贈与の合計額から100万円を差し引いた金額が相続財産に加算されます。一見、相続時精算課税は有利になったように見えますが、どちらが有利かは財産額やご年齢など状況によって変わります。専門家に相談してみるといいでしょう。

モメない人はこっち！

その月ごとに金額を変えて手渡しで贈与しようと考える

モメない人はどっち？

そろそろ年だから家を売って住み替えようかなと考えたとき

二世帯住宅にして子どもと住む

子どもとは一緒に住まない

税金だけにとらわれないことが大事

将来の相続を考えた場合、二世帯住宅のほうが税金上は有利になる可能性が高いでしょう。二世帯住宅とは、同じ建物を親世帯と子世帯に分けて暮らす方法です。二世帯住宅の場合、親と同居していたと見なされ、相続の際には小規模宅地等の特例が利用できます。この特例では、自宅の土地の相続税評価額が330㎡まで8割減になります。相続税評価額を大きく下げることができるので相続税を減らす効果があるのです。

親にとって二世帯住宅で暮らすのは大きなメリットがあります。自分の体調が悪くなったときにすぐに駆け付けてもらえて安心だからです。その上、子どもの相続税負担を減らせるのですから一挙両得です。

ただ、私は二世帯住宅で暮らすのが必ずしもベストだとは考えていません。たとえば、選択肢として「子どもに資金援助をして近くに住んでもらう」、「親が二世帯住宅にして一緒に住む」の2つがあった場合、前者のほうがよいこともある

小規模宅地等の特例による相続税評価額の減額

土地の種類	利用目的	限度面積	減額割合
特定居住用宅地等	居住用として利用されていた土地	330㎡	80%
特定事業用宅地等	事業で利用されていた土地	400㎡	80%
貸付事業用宅地等	不動産貸付業に利用されていた土地	200㎡	50%

と考えています。

二世帯住宅の場合、親世帯と子世帯が1階と2階に分かれて暮らすパターンが多くなりますが、親子げんかをしてどちらかが出て行ってしまうケースが少なくないからです。そこまで状況が悪化してしまうと関係の修復が難しくなってしまいます。

反対に親世帯と子世帯が近所に住んでいて、どこかに引っ越ししてしまったとの話はほとんど聞きません。

前述のように二世帯住宅は税金上のメリットが大きいわけですが、仲がこじれてしまったときに、「小規模宅地等の特例を利用するために我慢して同居を続けよう」と考える人は多くはいません。

そう考えると、将来の相続税だけを考えて二世帯住宅にするのは得策とはいえません。税金だけのために一緒に住むのは仲がこじれてしまったときに精神的なダメージが大きいからです。

都市部に一戸建ての住宅を保有している場合の相続税額は一般的に２００万円程度です。また２０００万円程度の金融資産を保有しているのが普通ですから、その中から２００万円程度の納税をすれば、それですみます。

その２００万円を節約するためだけに、いやいや二世帯住宅に住み続ける人はいるでしょうか。慎重に考えたいところです。

モメない人はこっち！

子どもとは一緒に住まない

おわりに

「相続のもめごと」というのは、時代を問わず人々の悩みのタネだったようです。私は大学・大学院時代に文学の研究をしていましたが、その当時出会った著名な文学作品にも、相続をテーマにしたものが多くありました。

ウィリアム・シェイクスピアの『リア王』がその代表格です。この悲劇では、実は生前贈与の壮絶なる失敗事例が描かれているのです。内容をご紹介しましょう。

主人公であるリア王には、3人の娘がいました。リア王は高齢になったため、王位を退くことを決め、3人の娘に国の領土を分配しようと考えます。そしてこう尋ねました。

「誰が一番、父としての自分を愛しているのか」

そしてリア王は、3人の娘の中から親を思う気持ちが一番強い娘に「最も多くを贈与しよう」と言ったのです。

長女と次女は、「退位した後も全面的にお父様を愛し続けます」などと返事をして、リア王を大いに喜ばせました。しかし、リア王が最も可愛がっていた三女は、「お前はわたしから贈与を引き出すために何と答えるか？」と問われたときに、「Nothing（何もない）」と答えたのです。

この言葉に、リア王は激怒しました。しかし三女は、「父親への愛情の対価」として領土をもらうよりも、真心を示すことが大事だと考えていたのです。そこで、父親に対して深い愛情があることも伝えました。「お父様のことは非常に愛しています。ただ、何かをもらおうと思っていう言葉は何もないのです」と。しかしリア王はその言葉を理解しようとせず、三女は勘当され、国の領土と財産は長女と次女に分配されました。

その後、リア王は結局、長女と次女に裏切られてしまいます。路頭に迷ったときに、ようやく三女の真心に気付きました。そしてリア王は三女とともに長女・次女と戦いますが、残念ながら破れ、三女は処刑されて、リア王も狂乱のうちに亡くなることとなりました。

さて、読者の皆様としてはいかがでしょうか。おそらく「リア王って、傲慢で嫌な人だな」「コーディリアがかわいそう」という意見が大半かと思います。私も否定しません。しかし見方を変えれば、「リア王だってかわいそう」「コーディリアも、言い方に気をつければよかったのでは？」という意見も出てきそうです。

というのは、リア王としては国土という途方もなく大きな財産をしっかりと渡ししていくことの責任の重大さを十分認識していて、非常にストレスを抱えているのです。まるで、遺言を公平に書くことを迫られているオーナーさんのようです。

そのような中で「何もない」と言われたら、どうでしょうか。親子ともに罪がないとは言い切れません。お互いに相手の「感情」への想像力が大事になるのです。

日本国内の文学作品でいえば、映画作品としてもお馴染みでファンも多い横溝正史の『犬神家の一族』も、相続がテーマになっています。

一代で莫大な財産を築いた犬神佐兵衛《いぬがみさへえ》というオーナー社長。彼の残した遺言がとても不可解で、遺産の分け方を巡り相続人がモメにモメて、ついに奇妙な殺人事件が起こってしまいます。

この作品で印象的なのは、2点。一つは財産が「リア王」と同様に多額という点。会社にも個人にも潤沢な資産にあふれていて、これは相続人にとってとても魅力的です。もう一つは、家族構成が非常に複雑な点です。愛人がたくさんいて、子どもや孫も含めると相続人が非常に多い。さて、読者の皆様、なぜ犬神家はモメてしまったと思われますか？　「財産が多かったから」なのか、それとも「家族構成が複雑だったから」なのか？

相続の専門家としてさまざまなケースを見てきた私は、家族構成が複雑であったことが、モメた最大の原因だったと思います。本書でお話ししてきたように、相続人の間でうまくコミュニケーションが取れていれば、モメずに済むことも多いのですが、家族構成が複雑でコミュニケーションが十分に取れていない家庭は、殺人にまで発展することはなくとも、相当にモメるケースが非常に多いのです。

このふたつの作品について、詳しくはYouTuberチャンネル『【相続と文学】天野大輔／税理士法人レガシィ代表公式チャンネル』でも詳しく解説していますので、興味のあるかたはぜひご覧ください。

最近では、相続税の改正や社会変化のために、「争続」の事例も相次ぎ、その不安から本書を手に取っていただいた方も多いのではないかと想像しています。しかし本書で解説したように、「争続」となるか否かの芽は、ふだんの自分の考え方や行動が如実に影響しています。私は一人の相続専門税理士として、そうした「争続に発展するケースを少しでも減らしたい」との思いから本書を執筆しました。

本書を読んで、相続を身近に感じていただき、来たるときにモメてしまう要因を一つでも減らすためのヒントとしていただければ、著者として幸甚です。

２０２３年４月　天野大輔＋税理士法人レガシィ

天野大輔 Daisuke Amano

税理士法人レガシィ代表社員・代表、公認会計士・税理士・行政書士
2003年に慶應義塾大学文学部を卒業後、慶應義塾大学大学院文学研究科に進学し、2005年に修了。大手情報システム会社でシステムエンジニアとして勤務したのち、2006年に基本情報技術者資格取得。2010年に公認会計士試験に合格し、2011年より監査法人・コンサルティング会社で勤務。2014年に公認会計士登録、2015年に税理士法人レガシィに入社、税理士登録後は相続・事業承継コンサルティング、デジタル化への推進を担当。2021年より現職。共著に『改訂版 はじめての相続・遺言100問100答』（明日香出版社）、『「生前贈与」のやってはいけない』、『【改正税法対応版】「生前贈与」そのやり方では損をする』（いずれも青春出版社）などがある。

天野大輔公式YouTubeチャンネル【相続と文学】
https://www.youtube.com/channel/UClJ7UiR1a4bM1kmiTlsJ16Q

天野大輔公式Twitter
https://twitter.com/d_amano_1979

税理士法人レガシィ Legacy Licensed Tax Accountant's Corporation

1964年創業。相続専門税理士法人として累計相続案件実績件数は25,000件を超える。日本全国でも数少ない、高難度の相続にも対応できる相続専門家歴20年以上の「プレミアム税理士」を多数抱え、お客様の感情に寄り添ったオーダーメードの相続対策を実践している。

税理士法人レガシィ
https://legacy.ne.jp/

相続のせんせい（相続の不安を専門家が解決するプラットフォーム）
https://souzoku-no-sensei.legacy.ne.jp/portal

相続《そうぞく》でモメる人《ひと》、モメない人《ひと》

2023年5月26日　第1刷発行

著者　天野大輔《あまのだいすけ》 ＋ 税理士法人《ぜいりしほうじん》レガシィ

発行者　寺田俊治

発行所　株式会社 日刊現代
東京都中央区新川1-3-17　新川三幸ビル
郵便番号　104-8007
電話　03-5244-9620

発売所　株式会社 講談社
東京都文京区音羽2-12-21
郵便番号　112-8001
電話　03-5395-3606

印刷所／製本所　中央精版印刷株式会社

ブックデザイン　小口翔平＋阿部早紀子＋嵩あかり（tobufune）
編集協力　ブランクエスト

C0036

ISBN978-4-06-532339-7